LES YEUX BLEUS DE MISTASSINI

DU MÊME AUTEUR

Mon cheval pour un royaume, Éditions du Jour, 1967;
  Leméac, 1987.

Jimmy, Éditions du Jour, 1969; Leméac, 1978; Babel,
  1999.

Le Cœur de la baleine bleue, Éditions du Jour, 1970;
  Bibliothèque québécoise, 1987.

Faites de beaux rêves, L'Actuelle, 1974; Bibliothèque
  québécoise, 1988.

Les Grandes Marées, Leméac, 1978; Babel, 1995.

Volkswagen blues, Québec-Amérique, 1984; Babel, 1998.

Le Vieux Chagrin, Leméac/Actes Sud, 1989; Babel, 1995.

La Tournée d'automne, Leméac, 1993; Babel, 1996.

Chat sauvage, Leméac/Actes Sud, 1998; Babel, 2000.

JACQUES POULIN

LES YEUX BLEUS
DE MISTASSINI

roman

LEMÉAC / ACTES SUD

Leméac Éditeur remercie le ministère du Patrimoine canadien, le Conseil des arts du Canada, la Société de développement des entreprises culturelles du Québec (SODEC) et le Programme de crédit d'impôt du Gouvernement du Québec du soutien accordé à son programme de publication.

Illustration de couverture :
© James Wilson Morrice, *Tête de jeune fille* (détail), vers 1895.
Musée des beaux-arts de Montréal. Don de la succession
James Wilson Morrice.
Photo : Musée des beaux-arts de Montréal, Brian Merrett.

Crédits : Page 21 – *L'Écharpe*, paroles et musique Maurice Fanon
© Éditions Raoul Breton. Page 69 – *Les Joueurs de Titan*, Philip Kindred
Dick © Les Presses de la Citée, 1963 et 1990. Page 172 – *Chanson pour
l'Auvergnat*, Georges Brassens, 1955.

Pourquoi encombres-tu le monde?

Épictète

1

LE MURMURE DES LIVRES

Ce matin-là, des nappes de brume avaient envahi la rue Saint-Jean. Le col de mon blouson relevé, la tête rentrée dans les épaules, je marchais sur le trottoir de droite, m'apprêtant à sortir du Vieux-Québec. Soudain, comme je passais devant la vitrine d'une librairie, un éclat de lumière capta mon attention.

Je m'arrêtai net.

Un livre était appuyé, debout, contre le fond de la vitrine. Sa couverture bleu ardoise montrait un paysage marin éclairé par un phare. C'est du moins ce que j'aperçus au premier coup d'œil, mais en regardant mieux, je vis que le phare était en réalité une pile de volumes sur laquelle reposait un fanal allumé. Le livre bleu s'intitulait *Une histoire de la lecture*.

D'avoir aperçu un phare, ne fût-ce qu'un instant, moi qui étais à moitié perdu dans la brume, cela me parut un signe du destin. Alors j'entrai.

Je n'avais pas mis les pieds dans cette librairie depuis un moment. Tout avait changé. On montait trois marches, comme avant, mais ensuite la première chose que je vis, au milieu de la pièce, ce fut un poêle à bois entouré de chaises et de fauteuils; il était bas sur pattes avec un ventre arrondi.

J'entendais un murmure, comme si plusieurs personnes conversaient à voix basse, et pourtant la librairie était déserte. Près de l'entrée, à ma droite, se trouvait un comptoir surmonté d'une caisse enregistreuse démodée. Plus loin, il y avait un bureau à tiroirs et une chaise au dossier inclinable. Tout au fond de la pièce, je vis une porte entrouverte : c'était de là peut-être que venait le murmure.

Simulant une quinte de toux pour annoncer ma présence, j'avançai pour regarder les livres. J'étais en territoire inconnu : il n'y avait pas de best-sellers à l'entrée, ni à côté de la caisse, ni sur les tables basses disposées autour du poêle. Les livres qui étaient mis en vue, par contre, je ne les connaissais pas. Et lorsque je m'approchai des rayonnages qui couvraient les murs, il me fut impossible de comprendre dans quel ordre les volumes étaient rangés.

Une tête grise et barbue, aux yeux tristes, apparut dans l'entrebâillement de la porte du fond. Un bref moment, je crus voir mon père, l'année où il n'allait pas bien et où nous avions loué un chalet qui était parti à la dérive.

— Salut ! fit le vieil homme.

— Salut ! répondis-je.

— Tu cherches un livre en particulier ?

— Oui, le livre bleu qui est dans la vitrine.

Le vieux avait l'air égaré. Très vite il se ressaisit et, allant directement à une étagère, sur le mur d'en face, il en tira le livre bleu et me le tendit. Le nom de l'auteur était Alberto Manguel. Pour faire bonne impression, j'adoptai le ton d'un connaisseur :

— Vos livres sont classés d'après quel principe ? demandai-je.

— Le principe du désordre absolu, dit-il.

Je crus un instant qu'il se moquait de moi ou qu'il voulait me remettre à ma place ; je me trompais, son regard était franc et direct. Il m'invita à m'asseoir pour feuilleter le livre de Manguel. Pendant que je lisais la première page et la table des matières, il rassembla quelques morceaux de bois et des boules de papier journal, et il alluma le poêle. Étonné d'être l'objet de tous ces égards, je l'observai plus attentivement, et alors je me rendis compte que son visage m'était familier. Il s'agissait de l'écrivain Jack Waterman. Ce n'était pas mon auteur préféré, je n'avais lu que son dernier livre, tout récent, mais sa photo avait paru dans les cahiers littéraires des journaux. Il était nettement plus vieux que sur la photo et il avait des yeux d'épagneul. Mal à l'aise, je fis semblant de ne pas le reconnaître.

— Je peux poser une question idiote? demandai-je.

— Bien sûr, fit-il.

— En entrant, j'ai entendu comme un murmure...

— Ah oui?

— J'ai eu l'impression que ça venait de la pièce du fond. C'était la radio?

— Pas du tout.

Après avoir vérifié que le poêle était bien allumé, il ferma partiellement la clef de tirage. Il se tourna vers moi et m'examina avec curiosité.

— Tu as vraiment entendu le murmure?

— Oui.

— En plein jour! D'habitude on l'entend seulement la nuit, et encore il faut faire très attention... Quel âge as-tu?

— Vingt-cinq ans.

— Ça veut dire que tu as un don!

Je sentais de l'admiration dans sa voix et ça me chatouillait agréablement l'oreille; cependant, il n'avait pas répondu à ma question.

— Ce murmure, il venait d'où exactement?

— Oh! c'est un truc assez connu dans le milieu des libraires, dit-il. On place des recueils de poésie ici et là dans les rayons, parmi les autres livres. Comme tu le sais, les poètes sont les dépositaires de la tradition orale et, pour cette raison, ils sont toujours prêts à réciter leurs vers. Alors la nuit, quand on ne peut pas dormir et qu'on fait les cent pas dans la librairie silencieuse, on peut entendre le murmure de leurs voix et ça nous donne un peu de réconfort.

Je devais avoir la bouche grande ouverte comme un zouave, car il se mit à rire doucement, puis il demanda :

— Qu'est-ce que tu fais dans la vie?

— Rien, dis-je. Je viens de finir mes études et je cherche du travail. Je m'appelle Jimmy.

— C'était dans quel domaine, tes études?

— En lettres françaises et anglaises. Le problème, c'est que j'ai pas envie d'être prof.

— J'ai besoin d'un commis... Ça t'intéresse?

— Peut-être!

Mon premier mouvement avait été de répondre : *Oui, ça m'intéresse! Tout de suite si vous voulez! Peu importe le salaire!* Mais une sorte d'instinct me pousse toujours à dissimuler mes sentiments et à mentir; je suis une petite crapule.

Il expliqua en deux mots qu'il avait besoin d'un employé parce que, depuis la publication de son nouveau roman, il voulait consacrer plus de temps à une occupation qu'il pratiquait de façon régulière : la traduction de textes pour l'Université Laval.

— Où habites-tu? demanda-t-il.

— À Limoilou, avec ma petite sœur. En ce moment, elle n'est pas là. Elle est souvent absente.

— Je sais. C'est la même chose pour moi avec Gabrielle.

Sur le coup, je ne fis pas très attention à ce qu'il disait, car il me faisait signe de le suivre dans la pièce du fond. C'était une toute petite pièce qu'il appelait la Parenthèse : on faisait quatre pas dans un sens et cinq dans l'autre. Il y avait tout de même les installations nécessaires pour manger et dormir, y compris un ingénieux système de lits superposés, pliants et escamotables.

— Il m'arrive souvent de dormir là, dit-il. Je te cède la place?

— D'accord! dis-je.

— C'est pas luxueux, mais tu sais, Épictète était encore plus démuni: il ne possédait qu'une paillasse et une natte.

2

ROSSIGNOLS, BEST-SELLERS ET MANUSCRITS

La librairie du Vieux-Québec était un peu déconcertante.

On y trouvait des rossignols et des best-sellers, comme dans toutes les librairies, mais leur place était inversée. Parce qu'il n'aimait pas les best-sellers, monsieur Waterman les juchait sur les rayons les plus élevés, à la place des invendus, que la profession appelle des rossignols, et par contre il disposait ceux-ci bien en vue sur le comptoir. Il disait que dans la nature, au lieu de se percher «sur la plus haute branche» des arbres, les vrais rossignols avaient coutume de s'installer dans les buissons au ras du sol.

Bien que le printemps fût arrivé, l'air était encore frais et humide, et la chaleur du poêle attirait du monde. Clients, flâneurs ou simples amateurs de café, tous les visiteurs étaient bien reçus. En dépit de sa taille modeste, le poêle répandait sa chaleur dans toute la salle, grâce à son tuyau coudé qui courait le long du plafond, auquel il était suspendu à divers endroits par des colliers métalliques. Les morceaux de bois à brûler étaient gardés dans une boîte en tôle derrière le comptoir.

L'idée d'installer un poêle, le vieux Jack l'avait trouvée dans *Paris est une fête.* Il avait été séduit par le passage où Hemingway racontait sa première visite à la librairie Shakespeare and Company: en poussant la porte, l'écrivain américain, alors dans la vingtaine, avait été accueilli par une chaleur venant à la fois des livres empilés jusqu'au plafond, du poêle ronronnant au centre de la pièce et de la gentillesse de Sylvia Beach, la propriétaire, qui lui avait fait crédit sans même le connaître.

Jack Waterman détestait les vedettes, surtout celles du petit monde littéraire, et sans doute avait-on fini par le savoir, car la plupart des gens qui venaient s'asseoir autour du poêle étaient étrangers à ce milieu. On voyait, par exemple, une caissière du marché Richelieu, un propriétaire de *tourist rooms* de la rue Sainte-Ursule, un vagabond de la place d'Youville, une infirmière de l'Hôtel-Dieu, un conducteur de calèche, une journaliste du *Soleil*. La présence de ces gens, et de bien d'autres, rappelait à Jack les soirées auxquelles il avait assisté dans son jeune âge, au magasin général de son père, lorsque des clients réguliers, pittoresques et forts en gueule, se réunissaient pour raconter des histoires de pêche, de chasse et de contrebande, tout en fumant la pipe, en chiquant du tabac et en crachant à tour de rôle, avec une précision variable, dans la *spitoune* qui se trouvait au centre du groupe.

Parfois, nous recevions des gens qui nous apportaient des manuscrits. Il s'agissait le plus souvent de textes refusés par les éditeurs; quelquefois, c'était l'auteur lui-même qui ne souhaitait pas une large diffusion et nous demandait simplement de placer son manuscrit dans les rayons avec les autres livres. D'une façon ou d'une autre, toutes ces personnes étaient fragiles et il fallait les traiter comme des enfants ou presque.

Au cours de ma première semaine de travail, j'eus l'occasion d'accueillir plusieurs auteurs de manuscrits. L'un d'eux était un jeune employé de la Banque Nationale située à l'angle de Saint-Jean et de la Fabrique. Il arriva un vendredi, peu avant la fermeture, et lorsque je lui dis que Jack était absent mais qu'il venait toujours m'aider à faire la caisse, il décida de l'attendre. Il s'installa près du poêle, un porte-documents sur les genoux. Je lui servis du thé et remis une petite bûche d'érable dans le poêle exprès pour lui. Le visage mince, l'air sombre, il était assis au bord de sa chaise et s'excusait de me déranger. Il me faisait penser à Kafka qui passait son temps à s'excuser, lui aussi, dans les *Lettres à Milena* que Jack m'avait conseillé de lire.

Un autre jour, je vis entrer une dame qui avait de très beaux yeux verts dans un visage tout fripé. Elle tenait un cahier noir et, à la façon dont elle le serrait sur son cœur, avec ses deux mains déformées par l'arthrite, n'importe qui, même un néophyte comme moi, pouvait comprendre qu'il s'agissait d'un manuscrit. En fait, je n'étais pas étonné de la voir car, depuis quelques années, les vieux étaient en surnombre dans la population, et plusieurs d'entre eux avaient le sentiment de rendre service à leurs concitoyens en racontant l'histoire de leur vie. J'invitai la vieille dame à placer elle-même son texte dans les rayons et, après avoir fait le tour de la salle en inclinant la tête pour lire les titres, elle le mit à côté d'un roman d'Anne Hébert.

Et un matin, en déverrouillant la porte, je trouvai une jeune personne assise sur une marche, à l'extérieur. Malgré les vagues de cheveux blonds qui masquaient son visage et déboulaient sur le col de sa veste en daim, je devinai que c'était une adolescente à cause de la finesse de ses mains, qui étaient posées à plat sur le manuscrit. Elle frissonnait. Je la fis entrer et me dépêchai d'allumer le poêle. Je tâchai de lui réchauffer le cœur et tout le reste, mais comme bien des personnes de son âge, elle était aussi hermétiquement enfermée en elle-même qu'un plongeur dans un scaphandre. J'aurais aimé que ma petite sœur fût avec moi pour me donner un coup de main.

3

LA MALADIE D'EISENHOWER

Chaque soir, Jack venait m'aider pour les comptes de la journée. Il m'avait tout expliqué à mon arrivée, et j'avais compris du premier coup, mais comme il éprouvait le besoin de reprendre ses explications, je le laissais faire.

La caisse enregistreuse, sous son air vieillot, était pourvue d'un système informatique original. Elle dressait la liste des titres vendus et commandait elle-même de nouveaux exemplaires. À chaque vente, elle entrait en contact avec l'auteur : si celui-ci habitait dans le voisinage, il accourait pour prendre l'acheteur ou l'acheteuse en filature, noter son adresse et essayer de voir comment le livre était apprécié.

La journée terminée, je reconduisais Jack à son appartement, rue des Remparts. Il habitait un quatre pièces au dernier étage, avec une petite terrasse plantée d'arbustes et de fleurs qui donnait une belle vue sur le port de plaisance, l'île d'Orléans et la magnificence du fleuve. Certains soirs, il m'invitait à souper. Je ne le savais pas d'avance : il se décidait au dernier moment, après avoir jeté un regard vers une des fenêtres de l'appartement.

Un soir, je vis qu'il hésitait.

— On marche un peu ? proposa-t-il.

— D'accord, dis-je.

Il m'entraîna vers le bas de la rue et se mit à me parler du temps où il avait vécu à San Francisco.

Il raconta qu'en fréquentant la librairie City Lights, il avait connu Brautigan, Kerouac et le grand Jack London. C'était impossible, il n'était pas assez vieux, les dates ne concordaient pas; sa mémoire lui jouait des tours.

Quand il se tut, je changeai de sujet :

— Le travail avance? demandai-je.

— Quoi? fit-il.

— Votre travail en traduction...

— J'ai pas travaillé aujourd'hui... J'avais un rendez-vous *là*.

Nous étions rendus derrière l'Hôtel-Dieu et il montrait du doigt les murs gris flanqués d'une haute cheminée.

— Un rendez-vous avec un gérontologue, précisa-t-il.

— Vous êtes malade? demandai-je.

— Oui. J'ai la maladie de... Comment ça s'appelle déjà? Ah oui, la maladie d'Eisenhower.

Au dernier moment, je m'abstins de lui dire qu'il se trompait, que ce n'était pas le nom exact, car il était en train de regarder la cheminée d'une drôle de façon : il la regardait comme si la fumée qu'elle crachait vers le ciel était extrêmement suspecte. Je chassai de mon esprit quelques images fulgurantes tirées d'un documentaire tourné en Allemagne à la fin de la guerre.

— Et alors? fis-je pour relancer la conversation.

— Tout va bien. Apparemment, le mal n'a pas progressé.

— Tant mieux!

— J'ai passé une demi-douzaine de tests : l'intelligence, l'attention, la concentration, le jugement, les chansons...

— Les chansons?

— Oui, c'est pour la mémoire. Le gérontologue nous fait chanter des chansons qu'on aime, et on a intérêt à bien se souvenir des paroles.

— Sinon?...

— Sinon, on risque d'avoir des puces!

— Quel genre de puces?

— Des puces électroniques! Des microprocesseurs!... Ne me dis pas que tu n'as jamais entendu parler de ça! s'écria-t-il sur un ton impatient. Il y a des vieux qui perdent complètement la mémoire, ils ne se rappellent même plus où ils habitent! Les médecins leur mettent un bracelet ou un collier avec des puces : comme ça, on sait toujours où ils se trouvent!

De fait, j'avais lu un article à ce sujet dans *Le Soleil*. On parlait même de puces hypodermiques, c'est-à-dire implantées sous la peau, mais il ne s'agissait pas d'une pratique courante : c'était plutôt une expérience menée sur des condamnés à mort, au Texas.

Au coin de la côte du Palais, je donnai un léger coup d'épaule à Jack, ce qui le fit tourner à gauche, l'éloignant de la maudite cheminée. Je refis la manœuvre un peu plus loin et, cette fois, il s'engagea dans la rue Charlevoix. C'est ainsi que je pouvais le ramener tout doucement chez lui par les ruelles du quartier latin. J'étais inquiet de ce qui semblait se passer dans sa tête. Comme pour me faire mentir, il se mit à chantonner calmement une chanson de Catherine Sauvage qui s'appelait *L'Écharpe*.

> *Si je porte à mon cou*
> *En souvenir de toi*
> *Ce souvenir de soie*
> *Qui se souvient de nous*
> *Ce n'est pas qu'il fasse froid*
> *Le fond de l'air est doux*
> *C'est qu'encore une fois*
> *J'ai voulu malgré tout*
> *Me souvenir de toi*
> *De tes doigts sur mon cou*
> *Me souvenir de nous*
> *Quand on se disait vous*

C'était une chanson difficile, toute en demi-tons, qui montait et descendait sans arrêt. Il faussait un peu et recommençait chaque phrase au moins trois fois, si bien que nous arrivâmes chez lui avant qu'il n'eût terminé.

Il me serra la main.

— C'est une chanson que Gabrielle aime beaucoup, dit-il.

4

MISTASSINI

Un samedi matin, accoudé au comptoir, je lisais. Il
était très tôt. Je venais d'ouvrir la librairie et il n'y
avait pas encore de clients.

C'était le début de mai, l'air de Québec s'était
adouci et les filles avaient enlevé leur collant et
leurs bottes de cuir rongées par le sel. J'avais
commencé à lire Épictète, le stoïcien, car j'avais
dit à Jack que je le connaissais, et je ne voulais
pas être pris en défaut. Au bout d'une demi-
heure, toutefois, l'esprit engourdi par la tiédeur
du printemps, je mis le philosophe de côté pour
relire un de mes livres préférés, *L'Île au Trésor*,
de Stevenson. Je l'avais trouvé sur le comptoir
en allant déverrouiller la porte : c'était Jack, sans
doute, qui l'avait sorti des rayons pour moi.

L'exemplaire choisi par Jack appartenait à la collection de la Bibliothèque Verte ; le texte était il-
lustré d'encres et d'aquarelles. J'étais absorbé dans
ma lecture depuis la toute première page où, avec
une joie renouvelée, j'avais vu arriver, dans une
auberge située au bord de la mer, sur la route de
Bristol, «un vieux marin à la face rôtie par le soleil
et balafrée d'une immense estafilade». Il avait des
épaules carrées, «des mains énormes, calleuses,
toutes couturées de cicatrices, et ce coup de sabre
qui avait laissé sur sa face, du front au bas de la
joue gauche, un sillon livide».

Mon esprit vagabondait sur la crête d'une falaise
battue par les embruns, en Angleterre, lorsqu'une

forme sombre venue de nulle part se mit tout à coup en travers de ma route. Un court instant, j'aperçus un énorme félin aux yeux jaunes injectés de sang qui menaçait de bondir sur moi... Puis j'ouvris les yeux: là devant moi, sur le comptoir, je vis un chat, un simple chat de gouttière, noir avec une tache blanche sous le menton.

Simultanément, je sentis la présence de quelqu'un. J'avais la gorge serrée. Une personne était entrée, sans doute en même temps que le chat noir, et ce n'était pas Jack: il ne venait jamais d'aussi bonne heure. S'approchant par-derrière au moment où j'allais me retourner, la personne mit ses mains sur mes yeux. Tout de suite, à la douceur de la peau, à la courbure des doigts, à une petite odeur de camomille que je connaissais depuis si longtemps, au souffle très léger que je sentais dans mon cou, et aussi aux battements de mon cœur, devenu fou, je reconnus ma petite sœur.

Elle s'appelait Mistassini, mais ce n'était pas son vrai nom. C'était le nom qu'elle avait choisi parce qu'elle aimait passionnément les grandes rivières du Nord et que, durant une de ses fugues, elle avait travaillé dans une réserve faunique située entre le lac Saint-Jean et le Grand Nord.

Le plus souvent, je l'appelais Miss.

— Salut, p'tite sœur! Je ne t'ai pas vue entrer. J'étais parti dans une histoire...

— J'ai bien vu ça!

Elle m'entoura les épaules de ses bras et appuya sa joue contre la mienne. Je plaçai mes mains par-dessus les siennes afin qu'elle ne puisse plus bouger et que je sente la chaleur de sa poitrine dans mon dos jusqu'à la fin du monde. Sur le comptoir, le jeune chat tendit un museau intrigué vers moi. Je penchai la tête en avant et, quand mon visage fut tout près du sien, il frotta son museau contre mon nez, ce qui dans le langage des chats correspond non pas à une salutation, comme on pourrait le croire, mais plutôt à une question: «Ami ou ennemi?» Apparemment satisfait de la réponse, il se mit à faire des allers et retours sur le comptoir, arrondissant le dos pour frôler mon menton et piétinant le livre de Stevenson.

Miss avait dégagé ses bras. Elle s'accouda au comptoir, à ma gauche, et je l'embrassai sur l'oreille. Elle avait des cheveux blonds, coupés très court. Ses yeux bleus étaient toujours aussi lumineux. Les miens étaient brun foncé. Elle était la lumière et moi l'ombre, parfois je me demandais si nous avions les mêmes parents.

Elle avait dû se rendre d'abord à notre appartement de Limoilou, et c'était sans doute la voisine qui lui avait dit où je travaillais. Je ne lui posais jamais de questions : elle était libre. Elle me brisait le cœur, mais elle était libre. On n'a aucun droit sur les gens qu'on aime.

— Je suis très heureux que tu sois là, dis-je avec le sentiment que mes mots n'étaient pas à la hauteur.

— Moi aussi, dit-elle.

— C'est à toi, le petit chat?

— Non, il était sur le perron quand je suis arrivée. J'ai pensé qu'il habitait ici.

— Mais non. C'est la première fois que je le vois.

— Peut-être qu'il a faim...

— Tu as raison.

Je me dirigeai vers la Parenthèse, et le chat noir, poussant un miaulement aigu, me suivit en frôlant sa maigre échine contre mes jambes. Miss nous rejoignit. Elle trimballait un gros sac à dos que je n'avais pas vu parce qu'elle l'avait posé de l'autre côté du comptoir en arrivant. Le chat dévora un morceau de jambon cuit et lapa bruyamment deux bols de lait. Ensuite, il fit le tour de la pièce.

— Il est content d'être là, observa Miss.

— Tu crois?

— Ça saute aux yeux.

— Il peut rester. C'est à lui de décider.

— C'est pas grand, mais il y a de la chaleur... Et par là, quand on se réveille la nuit, on voit les étoiles?

Elle pointait son doigt vers la lucarne du plafond, que Jack appelait le «puits de lumière».

— Bien sûr, dis-je. Excepté l'hiver, j'imagine, à cause de la neige.

— Mais il n'y a pas de lit?...

— Il y a deux lits escamotables. Je mets les matelas derrière l'armoire.

Je sortis un matelas en mousse de sa cachette, et un oreiller de l'armoire. Le matelas était recouvert d'une housse en coton à motif de fleurs. Je l'installai devant l'armoire, sur un bout de tapis, et Miss vint aussitôt s'y asseoir en tailleur, après avoir enlevé ses bottines et ses chaussettes et retroussé sa jupe, qui lui descendait au mollet. Le chat s'approcha d'elle, tourna en rond quelques instants puis s'allongea entre ses talons et son ventre, comme si cette place lui était réservée, et il se mit à nettoyer son museau et ses moustaches.

Ma petite sœur portait une veste en jean bleu foncé et une jupe du même tissu mais plus pâle, qui était fendue par-devant. Sa peau bronzée révélait qu'elle avait passé les dernières semaines sous d'autres latitudes; je fis comme si je n'avais rien vu.

— Et toi, tu n'as pas faim? demandai-je.

— Non, mais si tu as du café...

— Bien sûr.

Je mis de l'eau à bouillir sur le réchaud électrique et versai trois cuillerées de café dans le seul filtre qui restait. Quand l'eau fut prête, Miss se leva du lit et, pendant que je remplissais le filtre, elle déplaça celui-ci sur une tasse puis sur l'autre, en alternance, pour donner une force équivalente aux deux cafés. Sa main ne tremblait pas du tout, et la mienne presque pas.

Elle posa des questions sur mon travail et sembla très intéressée par tous les détails qui rendaient la librairie unique en son genre. Elle hésita cependant à me croire quand je lui racontai que certains livres étaient mis tout exprès à côté de la sortie pour qu'on puisse les voler plus facilement et que, dans ce cas, Jack s'occupait lui-même de payer les redevances aux auteurs.

— Mais... j'ai vu qu'il y avait un portique antivol, objecta-t-elle.

— Il est débranché, dis-je.

— Pourquoi ne pas donner tout simplement les livres aux clients?

— On aurait des tas de problèmes avec les autres libraires. Déjà ils nous regardent de travers parce que nous accueillons des sans-logis: ils disent que ça dégrade la profession.

Je m'assis près d'elle sans renverser ma tasse. Elle posa encore deux ou trois questions, buvant son café à petites gorgées, puis ses yeux commencèrent à rapetisser. Comme le café lui donnait chaud, elle mit sa tasse par terre à côté du lit et retira sa veste en jean. Sa tête s'inclina vers moi, glissa sur ma cuisse. Elle s'endormit rapidement et je n'osai plus bouger.

Les filles me font toujours un drôle d'effet. D'ordinaire, elles me séduisent par un détail: un éclair au fond de l'œil, une voix enrouée, une façon de pencher la tête de côté. Mais, dans le cas de ma petite sœur, c'est l'ensemble qui me séduit.

5

LES CREUSEURS DE TOMBES

Si l'on excepte les moments où il perdait la mémoire et ceux où il se sentait persécuté, Jack avait un comportement presque normal et nous avions du plaisir, ma sœur et moi, à l'entendre raconter des souvenirs de l'époque où il était continuellement sur la route.

Mistassini lui avait plu dès l'abord. Avant même de connaître ses projets, il lui avait offert l'hospitalité de la librairie et, au besoin, de son appartement. C'était un homme généreux et tolérant.

Peu à peu, ma sœur en vint à travailler régulièrement à la librairie et plusieurs changements s'ensuivirent. Ma tâche ayant diminué de moitié, Jack eut l'idée de m'initier à la traduction de l'anglais au français; il insistait sur le fait que ce métier lui avait souvent procuré des revenus dans les moments difficiles ou durant ses voyages.

L'idée de Jack me plaisait beaucoup. J'avais toutefois caché mon enthousiasme, l'idéal étant pour moi d'avoir l'air détaché de tout, comme un véritable stoïcien. Afin d'aviver mon intérêt, il m'avait fait cadeau de son Powerbook, un ordinateur portatif un peu désuet mais bien équipé pour le traitement de texte. Il pouvait se le permettre, car depuis qu'il avait réussi ses examens annuels à l'Hôtel-Dieu, il s'était offert un Slow Writer Powerbook. Comme son nom l'indique, le S.W.P. était un modèle conçu spécialement pour les auteurs dont la production était ralentie par l'âge ou par quelque autre facteur.

Ainsi, les jours où Jack avait peine à trouver ses mots et passait de longs moments dans la lune, l'appareil se mettait en veilleuse, attendant qu'il reprenne son travail, et si le vieil homme tardait trop, il l'encourageait d'une voix suave : «Monsieur Waterman, ne vous inquiétez pas, les mots sont là, ils sont à l'intérieur de vous. Respirez calmement.»

Avant le souper, à l'heure des comptes, Jack révisait mes traductions et m'aidait à résoudre les problèmes liés à l'utilisation de l'ordinateur. Miss se joignait à nous. Elle se mettait entre nous deux, légèrement en retrait, et se penchait par-dessus mon épaule ou celle de Jack, ne perdant pas un mot de ce qui se disait, et c'était très doux de sentir son souffle dans mon cou.

Un soir où Jack essayait de nous expliquer pourquoi les Anglais disent «nager à travers la rivière» au lieu de «traverser la rivière à la nage», deux jeunes étudiantes entrèrent. L'une d'elles resta près de l'entrée tandis que l'autre, s'avançant vers le comptoir, demanda à Jack un paquet d'enveloppes «par avion».

— J'y vole! dit-il, espérant sans doute obtenir un sourire de l'étudiante. Elle resta insensible à son jeu de mots, alors il tourna prestement les talons, rattrapant de justesse son équilibre, et il alla chercher les enveloppes. Nous ne faisions pas la papeterie, mais il gardait un lot d'articles dans les tiroirs de son bureau pour dépanner les clients. Pendant qu'il était occupé à chercher, je notai que la fille se plaçait de manière à nous empêcher de voir sa copine restée à l'entrée. En m'étirant le cou, je pus néanmoins surprendre la copine au moment où elle s'emparait d'un des livres empilés à côté de la porte avant de sortir à toute vitesse. C'était *L'Homme rapaillé* de Gaston Miron.

Après le départ de l'autre étudiante, je racontai à Jack ce que j'avais vu.

— Encore un Miron qui s'en va, lui dis-je.

— Tant mieux! fit-il. Les livres sont faits pour se promener.

— Pourquoi faites-vous ça? demanda Miss.

Il réfléchit un moment.

— À cause des *Diggers*.

Nous nous regardâmes, ma sœur et moi : ce nom nous était inconnu. Je consultai mon Harrap's, et Miss découvrit la traduction en même temps que moi : un *digger* était un *creuseur*. Nous n'étions pas beaucoup plus avancés. Cependant, Jack s'éclaircissait la gorge, se grattait la tête et on voyait qu'il éprouvait une irrésistible envie de raconter cette histoire. Alors j'éteignis l'ordinateur. Miss était à côté de moi et je pouvais lui toucher le coude si je voulais. Dehors, sur le trottoir d'en face, les ombres commençaient à s'allonger.

— Dans les années soixante, à San Francisco, il y avait un groupe de jeunes gens qui faisaient du théâtre de rue, commença-t-il. Ils s'appelaient Ronnie Davis, Billy Landout, Peter Coyotte, Peter Berg, Emmet Grogan... J'oublie sûrement quelqu'un...

— Il n'y avait pas de filles? demanda Miss.

— Pardon!... Une petite minute, les noms me reviennent. Il y avait Natural Suzanne, Fyllis, Cindy Small, Bobsie... Tous ces gens-là, les garçons et les filles, donnaient des spectacles dans les parcs, sur les places publiques. Ils dénonçaient les scandales politiques, le pouvoir de l'argent, la morale traditionnelle et tout ça. Vous comprenez?

— Bien sûr, dis-je. Et ensuite?

— C'était l'époque où la ville de San Francisco était envahie par une foule de jeunes, souvent des adolescents, qui affluaient de toutes les régions des États-Unis et d'ailleurs. On les a appelés «hippies». Ça vous dit quelque chose?

Nous fîmes oui de la tête avec un bel ensemble. J'espérais, pour ma part, qu'il allait en venir plus rapidement à l'essentiel, mais de toute évidence, il

31

avait un faible pour les hippies et ne pouvait s'empêcher de dire ce qu'il savait d'eux.

— C'étaient encore des gamins, raconta-t-il. Des gamins avec la tête pleine de rêves. Après avoir mis un jean de rechange dans un sac kaki acheté au Surplus de Guerre, ils avaient quitté le bungalow cossu de leurs parents et, comme Jack Kerouac, ils s'étaient lancés sur la route menant à San Francisco. Ils débarquaient dans le quartier de Haight-Ashbury où les loyers n'étaient pas trop chers. Ils rêvaient d'un monde fraternel où tous pourraient vivre en paix et où chacun serait libre d'élargir le champ de sa vie spirituelle grâce aux drogues et à la musique psychédélique; et les plus naïfs d'entre eux croyaient que, pour y arriver, il suffisait d'avoir les cheveux longs, de porter des vêtements fleuris et de connaître un ou deux poèmes d'Allen Ginsberg.

— Et les *Diggers* dans tout ça? demandai-je.

— J'ai une grande sympathie pour les hippies, même s'ils n'étaient pas réalistes, dit Jack au lieu de répondre. Le rêve est très utile, c'est même la meilleure façon d'apprivoiser la réalité. Et puis il ne faut pas oublier que ces jeunes, qui laissaient derrière eux l'univers gris et froid de l'argent, cherchaient à tâtons quelque chose de plus vivant: l'aventure et la chaleur humaine. Mais je m'éloigne du sujet...

— Pas du tout! protesta le plus grand menteur du Vieux-Québec.

— Tant mieux! Alors j'en arrive aux *Diggers*... Tiens, il me vient encore d'autres noms: Butler Brooks, Slim Minnaux et une fille, Nana Nina, et Richard Brautigan qui venait de temps en temps... Ces gens-là, et ceux que j'ai nommés auparavant, se réunissaient en soirée, après les représentations du théâtre de rue. Ils regardaient vivre les hippies mais avec une inquiétude grandissante...

— Pourquoi? demandai-je, voulant éviter une nouvelle digression.

— Comme ils étaient de plus en plus nombreux dans Haight-Ashbury, les hippies avaient besoin d'aide. Ils manquaient d'argent pour se loger et se nourrir convenablement, ils attrapaient des maladies ou faisaient des *bad trips* et les filles tombaient enceintes. Après réflexion, les *Diggers* ont eu l'idée de leur fournir un repas gratuit par jour. C'est Emmett Grogan et ses amis qui se sont chargés du projet. Ils ont acheté un camion usagé et ont pris l'habitude de se rendre au marché central, en banlieue, tôt le matin, pour ramasser les légumes frais et la viande qu'on voulait bien leur donner, ou qu'ils volaient si nécessaire. Puis ils rentraient en ville et confiaient cette nourriture à leurs copines, qui la faisaient cuire, généralement sous la forme d'un ragoût.

J'appuyai mon coude sur celui de Miss, car il me revenait en mémoire des effluves d'un ragoût de poulet que ma mère nous préparait le dimanche soir avec des patates en purée. Il était tard et je commençais à avoir faim.

Le vieux Jack poursuivit :

— Les *Diggers* revenaient l'après-midi. Ils versaient le ragoût dans de gros bidons à lait, chargeaient les bidons sur la plate-forme du camion et, à quatre heures pile, ils s'installaient à la lisière du parc Golden Gate, prêts à servir un repas gratuit aux quelque deux cents hippies affamés, munis d'un bol et d'une cuiller, qui attendaient ce moment avec impatience, ayant été avertis par un tract sur lequel on pouvait lire l'heure, le lieu de la distribution, ainsi que cette déclaration : C'EST GRATUIT PARCE QUE C'EST À VOUS !

Il faut croire que Jack attachait de l'importance à cette dernière phrase, car il la répéta deux fois sur un ton emphatique. Ensuite il reprit :

— Pour les *Diggers*, les choses appartenaient aux gens qui en avaient besoin et non à ceux qui avaient de l'argent. Ils estimaient que l'argent, la course au profit, la propriété privée étaient des facteurs d'injustice sociale. C'est pourquoi, en plus du repas quotidien, ils ont ouvert un magasin où les gens venaient chercher gratuitement des vêtements, un frigo, n'importe quoi.

— Du linge et des meubles d'occasion? demanda Miss.

— Non. Tout était neuf, sauf quelques vêtements d'occasion que l'on plaçait à l'entrée du magasin pour tromper les autorités municipales. Et puis, toutes ces initiatives, y compris l'ouverture d'une clinique médicale gratuite et la rénovation d'un petit hôtel pour accueillir les fugueurs, tout ça était fait dans l'anonymat le plus complet. Le responsable ne se mettait pas en avant, personne ne revendiquait la paternité d'une entreprise, il n'y avait pas de vedettes, on ne donnait pas d'interviews et on ne signait pas son vrai nom sur un document officiel. Et si quelqu'un se présentait au magasin et demandait à voir le responsable, on lui répondait : «Vous voulez voir le responsable?... Regardez-vous dans le miroir, le responsable c'est vous!»

— Ils commencent à me plaire, ces *Diggers*! dit Miss.

Il ne restait pas beaucoup de lumière dans la rue Saint-Jean, et on aurait dit qu'elle avait trouvé refuge sur le visage de ma petite sœur, en particulier dans ses yeux. Jack s'était arrêté de parler et, comme moi, il admirait le spectacle.

Pendant ce temps, le chat noir, qui avait été baptisé Charabia parce qu'il possédait un registre de miaulements plus vaste que la moyenne des chats, sauta sur le comptoir et nous fit comprendre sur un ton plaintif que l'heure était venue de lui servir son repas. Miss lui murmura quelque chose à l'oreille, puis elle déclara que deux choses lui plaisaient bien : l'idée de voler les riches pour donner aux pauvres et la décision de garder l'anonymat dans les services rendus à la collectivité.

— Mais pourquoi s'appelaient-ils les *Diggers*? insista-t-elle.

— En fait, dit Jack, c'était le nom d'une bande de paysans révoltés qui vivaient en Angleterre, dans le Surrey, au milieu du XVIIᵉ siècle. Parce que le prix des aliments était trop élevé, ils s'étaient emparés d'une terre de la commune et distribuaient une part de leurs revenus à leurs voisins dans la misère. Ils étaient considérés par les autorités comme des fauteurs de troubles, des anarchistes, un peu comme Robin des Bois au Moyen Âge...

Il s'interrompit. On le sentait fatigué des efforts accomplis depuis un moment pour retrouver les noms et les dates perdus dans sa mémoire embrumée. Les cernes autour de ses yeux s'étaient agrandis.

— Ils étaient obligés de se battre contre les soldats d'Oliver Cromwell, ajouta-t-il d'une voix lasse. Il paraît qu'on leur a donné le nom de *Diggers* parce qu'on les voyait souvent creuser des tombes, au petit matin, pour ensevelir les membres du groupe qui avaient été tués pendant la nuit.

L'histoire était terminée. Il était évident que la dernière image avait fait une forte impression sur ma petite sœur, car les lueurs que nous avions vues un peu plus tôt sur son visage, et qui nous avaient éblouis, Jack et moi, s'étaient éteintes d'un seul coup. Ce fut sans doute pour se faire pardonner ce résultat que Jack l'invita à souper chez lui.

L'invitation était également valable pour moi. Et aussi pour Charabia.

6

GABRIELLE ET LA PLEINE LUNE

Comme le vieux Jack avait un faible pour Miss, les invitations à souper chez lui devinrent plus fréquentes. Cependant, ni ma sœur ni moi ne savions à quoi nous attendre quand nous allions le reconduire.

Un soir, je le raccompagnai et, au moment où j'allais retourner auprès de Miss à la librairie, quelque chose d'inusité se produisit. J'étais en train de chercher ce que nous allions pouvoir manger à part les sempiternels spaghettis, car nous n'étions pas plus doués l'un que l'autre pour la cuisine. Il jeta son habituel coup d'œil vers la fenêtre et je lui tendais déjà la main, quand un sourire illumina tout à coup son visage ridé. Un sourire qui avait l'air enfantin.

— Tiens! dit-il. Elle est là!

J'étais sur le point de lui demander de qui il parlait. Au dernier instant, je modifiai la question :

— Où ça?

— La petite fenêtre à droite, évidemment.

Son doigt montrait une fenêtre du dernier étage, à la droite de sa terrasse. Je n'avais jamais vu Jack entrer dans cette pièce. La fenêtre captait la lumière frémissante et légèrement bleutée de la pleine lune qui venait de se lever.

— Tu vois bien que la fenêtre est éclairée, non?

— Bien sûr, dit la petite crapule.

— Gabrielle est revenue de voyage. Je ne peux pas entrer maintenant : elle a besoin de se reposer.

Ça ne t'ennuie pas si on se promène un peu en attendant?

— Pas du tout!

À vrai dire, je m'inquiétais pour ma sœur. Mes craintes n'étaient pas justifiées, puisqu'elle se débrouillait très bien sans moi. De plus, elle était en faveur d'une liberté totale: ne voulant pas être obligée de prévenir quand elle s'absentait, elle aimait mieux que je ne la prévienne pas de mon côté. Donc il n'était pas question de lui donner un coup de fil pour l'avertir que j'allais être en retard... Mais c'était plus fort que moi, je m'inquiétais quand même.

Nous avions commencé, Jack et moi, à remonter la rue des Remparts. Les promeneurs étaient nombreux à profiter de la douceur de l'air ainsi que du miroitement de la lumière sur le fleuve. Jack avait son chapeau de tennis enfoncé jusqu'aux sourcils et il portait des lunettes de soleil en dépit de l'heure tardive. Il cachait ses yeux de chien battu qui lui donnaient une certaine ressemblance avec Salman Rushdie. Nous pouvions marcher tranquillement tous les deux sans être dérangés par des gens trop gentils qui se croyaient tenus de le saluer en lui demandant s'il n'était pas «en train de pondre quelque chose».

Dans le parc Montmorency, il s'appuya le ventre au parapet en béton qui surplombait la falaise. Il se pencha au-dessus du vide, puis son regard se perdit dans le lointain.

— Elle revient d'un voyage dans l'Ouest, dit-il. Elle avait reçu un télégramme du Manitoba: sa mère venait de mourir. Alors elle a pris le train.

Je ne posai aucune question. Il raconta qu'elle avait passé son enfance dans cette région. C'était près de là que commençaient les grandes plaines couvertes de blés et inondées de soleil; elles étaient si vastes qu'on ne pouvait les traverser en une seule journée et qu'on avait l'impression, lorsque les tiges ondulaient au vent, de se trouver en pleine mer, environné d'une houle qui courait vers le bout de l'horizon.

— Vous n'avez pas envie de boire quelque chose? demandai-je subitement.

— Avec plaisir, dit-il.

Il m'entraîna vers la côte de la Montagne. Ce choix m'étonna, car au cours de nos promenades, soucieux de ménager ses vieilles jambes, il évitait cette pente très rude qui menait à la basse-ville. Du moins tournait-il le dos à l'Hôtel-Dieu dont les murs gris et la cheminée crachotante lui faisaient horreur à cause de certaines images qu'il avait vues au cinéma dans *Nuits et brouillards*.

Au milieu de la côte, il prit à droite, empruntant le grand escalier de bois, et, après la première volée de marches, il s'arrêta devant un bistrot. Je le suivis à l'intérieur, où il s'installa au bar, debout entre deux tabourets pour éviter les douleurs lombaires.

La barmaid le connaissait. Elle fit le tour du comptoir et le serra très fort dans ses bras en lui frottant le bas du dos. Plus grande que lui, elle était solidement bâtie, avec des épaules larges et des bras musclés. Jack me présenta comme son adjoint à la librairie, mais je n'eus droit qu'à une poignée de main. Elle ne pouvait pas savoir que, dans un rêve qui revenait souvent, j'étais blotti entre les bras de la lanceuse de javelot norvégienne Trina Hattestad, une magnifique athlète qui me serrait sur sa poitrine jusqu'à m'écraser.

Jack commanda deux kirs sans me demander mon avis. En attendant les verres, il sortit sur le palier, où se trouvaient quelques tables, et de ma place au bar je vis qu'il observait le ciel. La barmaid se mit à mélanger devant moi le vin blanc et le cassis. Elle le désigna de la tête:

— Est-ce qu'il va bien?

Je ne savais pas quoi répondre.

— C'est à cause de la lune que vous demandez ça?

— Bien sûr. C'est presque toujours à la pleine lune qu'il vient me voir. Est-ce qu'il a parlé de Gabrielle?

— Oui, mais seulement quelques mots, dis-je à mi-voix.

— Et qu'est-ce que t'en penses?

— Rien. J'ai pas les moyens de juger les autres.

C'était une phrase que j'avais entendue dans une banale série policière à la télé, mais elle me valut un sourire très doux. La barmaid avait des joues pleines et rougeaudes et elle portait un tricot sans manches dont il n'était pas facile de détacher les yeux.

— Qu'est-ce que tu regardes? fit-elle.

— Vos épaules, dis-je avec le sentiment de m'enfoncer dans le mensonge. Vous faites de la natation?

— Oui. Comment le sais-tu?

— Vous avez des épaules assez larges pour deux personnes!

— Tu penses à une personne en particulier?

Cette fois, son sourire était moqueur; je le trouvai quand même irrésistible parce qu'il était fait exprès pour moi. Je cherchai en vain quelque chose de gentil à lui dire. Heureusement, Jack revint de la terrasse et nous commençâmes à boire l'apéro. Au bout de cinq minutes, il alla de nouveau examiner la lune.

— Elle est toujours aussi belle, dit-il à son retour, mais les nuages arrivent par l'est. Du moins, il n'y a plus d'étoiles de ce côté-là.

Il avait l'air serein, presque détaché de la réalité. J'eus beaucoup de plaisir à les écouter, la barmaid et lui, quand ils se mirent à discuter de littérature. La fille avait une longue expérience en tant que lectrice de romans et elle possédait une qualité rare : elle pouvait établir une multitude de rapports non seulement entre les livres d'un même auteur, mais aussi entre ceux d'auteurs différents et qui n'avaient rien en commun à première vue. Cette

qualité, Jack l'appréciait d'autant plus qu'il écha-
faudait lui-même une théorie suivant laquelle les
œuvres littéraires étaient, contrairement aux apparences, le fruit d'un travail collectif.

Poursuivant son raisonnement, il exposa l'idée
que les vieux écrivains, au lieu de se répéter ou
de rédiger leurs mémoires, avaient intérêt à trouver
des auteurs plus jeunes et aptes à prendre la relève. Tout à coup, il s'interrompit, regarda l'heure
et vida son verre d'un trait.

— Il se fait tard, dit-il.

— C'est vrai.

Je fis cul sec à mon tour. La barmaid embrassa
Jack sur les deux joues et cette fois elle me serra
contre elle : ce fut un moment de bonheur, je
fermai les yeux, imaginant que Miss était avec moi
et partageait mon plaisir.

Le kir et les étreintes nous donnèrent du courage pour remonter l'escalier puis la côte de la
Montagne. À l'endroit où la pente était le plus à
pic, Jack soufflait si fort que je décidai de m'arrêter. Je scrutai la voûte céleste en prétendant que
je cherchais Vénus. Il me conseilla de regarder vers
l'ouest, au-dessus de l'ancien Grand Séminaire, mais
le ciel s'était couvert et je ne vis rien du tout. Nous
reprîmes l'escalade en compagnie d'un groupe de
touristes qui revenaient d'une excursion à la place
Royale ou dans la rue du Petit-Champlain.

Le temps de nous rendre en face de l'appartement, rue des Remparts, les nuages avaient encore
gagné du terrain. Une seule chose cependant intéressait Jack : la petite fenêtre du dernier étage.

— Ah ! la lumière est éteinte ! dit-il.

— C'est vrai, dis-je en examinant la fenêtre.

Elle était devenue aussi sombre que le reste du
ciel et que le fond de mon cœur.

— Ne t'inquiète pas, c'est bon signe.

— Vous croyez ?

— Mais oui. Ça veut dire que Gabrielle se re-
pose. Elle a traversé le Manitoba, l'Ontario et une

partie du Québec. Le train n'est pas rapide, c'est un long voyage, et maintenant elle dort.

— Bien sûr.

— Je vais entrer dans quelques minutes. C'est mieux d'attendre... Tu n'es pas obligé de rester.

— Je sais.

— Tiens, je vais m'asseoir sur le banc, là-bas. J'attends une quinzaine de minutes et ensuite j'entre sur la pointe des pieds.

Presque en face de chez lui, sur la droite, se trouvait une petite place au bord de la falaise, avec un seul banc public et un lampadaire. Il alla s'asseoir et je fis comme lui.

— Je reste encore un peu.

— On dirait qu'il va pleuvoir, dit-il.

— Oui, dis-je en regardant le ciel de plus en plus noir.

7

L'INTERVIEW

Je le devinai en me réveillant, ce dimanche matin : il se passait quelque chose d'anormal dans la Parenthèse. Il faisait froid et je me levai avec répugnance.

Mistassini n'était plus sur le lit du haut. Aux toilettes, sa brosse à dents et ses affaires personnelles avaient disparu. Encore à moitié endormi, je fis chauffer de l'eau et alors seulement je notai que son gros sac à dos n'était plus là. Il n'était pas non plus dans la grande pièce. Miss était partie une fois de plus et elle avait respecté nos conventions : pas d'avertissement, pas d'excuses, pas d'au revoir.

Je feuilletai le *Manuel* d'Épictète, à la recherche d'un mot de consolation. Je ne trouvai que cette phrase, soulignée lors d'une première lecture : «Ne cherche pas à faire que les événements arrivent comme tu veux, mais veuille les événements comme ils arrivent, et le cours de ta vie sera heureux.»

La bouilloire sifflait depuis un moment. Après avoir rajouté un peu d'eau, je sortis du frigo le litre de lait, le beurre, la marmelade d'oranges amères, et je mis du pain de seigle dans le grille-pain. Je sirotais pensivement mon café lorsqu'un bruit venant de l'entrée me fit battre le cœur. Quelqu'un ouvrait la porte de la librairie et ma réaction immédiate fut de croire que Miss avait changé d'avis. Je continuai de boire mon café comme si de rien n'était. Charabia buvait son lait les yeux mi-clos et l'air aussi innocent que moi.

La porte d'entrée se referma et, malheureusement, au lieu d'entendre le glissement furtif des mocassins de Miss, je perçus un toussotement étalé sur deux tons : c'était de cette façon que Jack annonçait sa présence quand il ne voyait personne dans la salle. Que venait-il faire à la librairie un dimanche matin ? Et pourquoi si tôt ? Fidèle à mon habitude et aux principes stoïciens, je gardai mes questions pour moi.

Jack était nerveux et irritable. Il remarqua l'absence de Mistassini, sans voir toutefois qu'elle avait pris ses affaires. Je lui préparai une tasse de chocolat chaud qu'il emporta en disant qu'il attendait un journaliste. Il s'installa à son bureau, allongé dans sa chaise inclinable, les pieds calés sur le bord d'un tiroir entrouvert. Je m'assis dans un coin avec Charabia et Épictète sur les genoux.

Trois quarts d'heure plus tard, le journaliste arriva. Dans la quarantaine, il portait de fines lunettes cerclées de métal, un blouson en cuir bordeaux et un sac en bandoulière d'où émergeait un appareil photo.

— Désolé d'être en retard, dit-il, j'ai pas entendu mon réveil. Je me suis couché aux petites heures parce que je lisais votre livre... En fait, j'ai pas eu le temps de le finir.

Jack marmonna quelque chose, adopta un air indifférent et but une longue gorgée de chocolat. Fouillant dans son sac, le journaliste sortit un magnétophone portatif qu'il installa sur le bureau. Même de loin, on pouvait voir le feu rouge signalant que l'appareil était en marche. Jack se leva lentement et, sans hésiter, il éteignit le magnétophone.

— C'est le meilleur appareil au monde ! protesta le journaliste. Un vrai petit bijou ! Vous pouvez parler pendant des heures ! Vous pouvez faire les cent pas en parlant ! Ça nous permet d'avoir une conversation normale !

— Remettez le petit bijou dans votre sac.

— Tant pis pour vous! Je peux prendre des notes, mais je vais passer mon temps à vous faire répéter, pour être sûr de vous citer avec précision.

— Vous avez l'habitude de citer les auteurs avec précision?

— Non!

Le journaliste rangea son magnétophone, sortit un calepin et un stylo. Il se mit à rire:

— Je vais vous confier un secret, dit-il. Les bons journalistes savent qu'il ne faut jamais rapporter fidèlement les propos d'une entrevue. Si on le faisait, les auteurs nous en voudraient à mort! Vous savez pourquoi?

Assis dans mon coin, je m'attendais à ce que Jack réplique: «Non, mais vous allez me le dire!» ou quelque chose de ce genre. Ce fut tout le contraire, il fit comme s'il n'avait pas entendu. D'un point de vue stoïcien, c'était une attitude respectable. Nullement déconcerté, le journaliste poursuivit:

— La plupart des auteurs n'arrivent pas à bien s'exprimer oralement. Ils commencent une phrase, s'arrêtent pour chercher un mot, perdent le fil et finissent par répondre à côté de la question. Quand on les cite, il faut reconstituer ce qu'ils voulaient dire.

— Vous êtes bien à plaindre! Voulez-vous un café?

— Oui. Un café noir, s'il vous plaît.

Sans attendre qu'on me le demande, je quittai mon coin pour aller refaire du café dans la Parenthèse. Pendant que j'étais là, avec Charabia, le journaliste posa la question traditionnelle:

— Pourquoi écrivez-vous? Je sais que c'est pas une question très originale...

— Pour voir mon nom dans le journal et pour que les femmes s'intéressent à moi, répondit Jack.

— Et ça marche?

— Pas assez. Et vous?

Il y eut un silence. Je passai la tête dans l'entre-bâillement de la porte, croyant que le journaliste allait faire comprendre à Jack, en lui opposant un visage fermé, que c'était à lui de poser les questions. Au contraire, il souriait. On voyait bien que c'était un homme gentil et raisonnable. Je lui apportai son café. Il me remercia poliment, but une gorgée et se tourna vers Jack.

— Où êtes-vous né?

— Je pourrais vous répondre, mais ensuite vous allez me demander ce que faisaient mes parents, combien nous étions d'enfants, si j'ai passé une enfance heureuse et tout ça. Alors je vous le dis tout de suite : mon enfance, ça ne vous regarde pas, c'est mon intimité, c'est ma source d'écriture et je ne la partage avec personne! Est-ce que c'est clair?

— Absolument, dit le journaliste, sur un ton calme qui contrastait avec la véhémence des propos de Jack. Vous préférez qu'on parle de votre livre?

— On peut toujours essayer...

— Vous avez mis longtemps à l'écrire?

— Quatre ans.

— Qu'est-ce qui était difficile?

— Les mots ne voulaient pas venir. Ou plutôt, ils venaient au compte-gouttes.

Le journaliste, qui notait les réponses, leva les yeux de son carnet pour voir si l'écrivain avait une explication à donner. Se grattant le haut du crâne, où s'étalait une espèce de tonsure, Jack semblait en train de réfléchir, mais il s'abstint de tout commentaire.

— C'était plus facile autrefois?

— Oui. Autrefois, j'arrivais à écrire une page par jour, tandis que maintenant, j'ai beaucoup de mal à faire une demi-page.

— En combien d'heures?

— Quatre ou cinq heures. Peut-être qu'il se passe quelque chose d'anormal dans ma tête...

— Peut-être que c'est tout simplement une question de rythme. Vous avez un rythme plus lent que la moyenne, voilà tout. Chacun son rythme!

— Chacun son rythme, répéta Jack à voix basse, comme s'il soupesait cette expression pour voir si elle lui convenait. J'avais une bonne raison de penser qu'elle ne lui convenait pas. Un soir, il m'avait invité chez lui pour regarder une émission littéraire à laquelle devait participer un de ses collègues, un auteur très populaire qui faisait paraître au moins un livre par an et que l'on voyait fréquemment à la télé. Interrogé sur sa méthode de travail, le collègue avait affirmé qu'il écrivait une quinzaine de pages tous les matins, à jeun, avant de se rendre à l'université où il enseignait à plein temps. Lorsqu'il avait ajouté sans aucune forfanterie qu'il avait dans ses tiroirs le plan détaillé de ses trois prochains romans, Jack avait balancé une de ses pantoufles en direction de l'écran, ratant de peu sa cible mais fracassant une lampe placée sur l'appareil.

Si j'étais le plus grand menteur du Vieux-Québec, il n'était pas loin derrière moi.

— Êtes-vous content de votre livre? demanda le journaliste.

— Je suis content de l'avoir terminé, dit Jack.

— Il ne vous plaît pas?

— Malheureusement, il est très éloigné de ce que je voulais faire. Au début, je ne savais pas où j'allais. C'est normal. J'ai travaillé à tâtons pendant un an et puis, une nuit, j'ai eu comme une illumination. J'ai vu dans quelle direction allait mon histoire, quel était le rôle de chaque personnage, et j'ai même trouvé le *ton* de la narration. Ensuite, j'ai simplement essayé d'éviter les écueils et de me rendre au bout de la route.

— Comme un coureur de marathon...

— Excepté que je ne cours pas vite!

Ils rigolèrent un moment et vidèrent leur tasse. Je retournai dans la Parenthèse pour remettre de l'eau à bouillir. Charabia m'accompagna et but un peu de lait. Le journaliste fut le premier à reprendre son sérieux.

— Vous avez parlé du *ton*, dit-il. Ça compte beaucoup?

— Bien sûr.

— C'est différent de ce qu'on appelle le *style*?

— Pour moi, c'est pareil.

— Alors le style, c'est quoi au juste?

Je tendis l'oreille à cause du chuintement de l'eau qui chauffait. Jack se mit à hésiter et ses propos devinrent un peu confus. Je compris tout de même que, pour lui, le style n'avait rien à voir avec la «belle écriture» dont parlaient la plupart des chroniqueurs: c'était quelque chose de plus profond. Il essaya de préciser sa pensée, mais je ne compris rien à ses explications, si ce n'est que le style traduisait la personnalité de l'auteur.

— Au fond, résuma le journaliste, vous essayez de dire quelque chose qui ressemble beaucoup à la maxime populaire: «Le style c'est l'homme.»

— Je dirais plutôt «Le style c'est l'âme», répondit le vieux Jack.

Cette petite phrase de rien sembla déconcerter le journaliste: je vis, en apportant une nouvelle fois le café et le chocolat, qu'il avait la bouche ouverte et le stylo en l'air. Pour ma part, même si je ne savais pas exactement ce qu'elle signifiait, je la préférais de beaucoup aux propos excessifs que Jack tenait parfois sur ce sujet; il avait dit un jour à un critique littéraire que, dans un roman, le style était le facteur le plus important et que tout dépendait de lui: le choix du sujet, l'action, les personnages et le reste...

Je retournai dans mon coin et me plongeai dans Épictète tout en louchant vers Jack. Le journaliste reprit:

— En vous lisant, je me suis demandé pourquoi votre protagoniste était si passif...

— C'est un mot ridicule, dit Jack.

— *Passif?*

— Non, *protagoniste!* Je sais que c'est un mot à la mode, mais quand vous le dites, j'entends *prout!* et *agonie!* C'est difficile de ne pas se mettre à rire...

— Vous préférez le mot *personnage?* demanda le journaliste sans s'émouvoir.

— Oui.

— Alors pourquoi est-il si passif, votre personnage?

— J'en sais rien. Ne soyez pas offusqué...

S'interrompant, Jack but quelques gorgées de chocolat, les yeux fixés sur le visage du journaliste. Celui-ci ne donnait aucun signe d'agacement et attendait calmement la suite.

— Aussi bien vous dire toute la vérité, dit Jack, je suis incapable de répondre à ce genre de questions. La plupart des auteurs peuvent le faire. D'ailleurs, ils savent tout. Ils savent ce qui se passe dans la tête des personnages, dans leur cœur et même dans leur inconscient. Tant mieux pour eux! Moi, les personnages, je les vois uniquement de l'extérieur. Ils me ressemblent un peu, mais ce sont des étrangers; je ne sais rien d'eux... Tenez, ça pourrait faire un titre pour votre article: *L'homme qui ne savait rien.*

— Vous doutez de vous-même, comme tous les créateurs...

— Les romanciers ne sont pas des créateurs! Ils s'inspirent de la réalité, ils la transforment, ils ajoutent des choses vécues, des choses imaginées, et même des choses empruntées ou volées: c'est plutôt du bricolage!

— Tout dépend comment on le fait... D'après les critiques, vous le faites d'une manière minimaliste. Est-ce que ce mot vous convient toujours?

— Oui. Je reste fidèle aux principes de Raymond Carver. Même si j'essaie de varier la forme des phrases et de les rendre plus coulantes, pour ne pas ennuyer le lecteur, il me semble toujours préférable de dire les choses avec le moins de mots possible et d'éviter les belles images, les tournures savantes.

— En plus de Carver, quels sont vos auteurs préférés?

— Stevenson, Salinger, et surtout Hemingway... mais en fait je n'aime pas vraiment les auteurs : j'aime les livres. Quelques livres. Peut-être une dizaine. Des histoires courtes racontées sur un ton spécial. Je n'aime pas grand-chose, malheureusement. Il se pourrait même que je n'aime pas la littérature.

Le visage de Jack s'était assombri et je me disais que le journaliste, occupé à prendre des notes, n'allait peut-être pas remarquer ce changement. Je me trompais :

— Et dans la vie, demanda-t-il avec un net accent de sympathie, qu'est-ce qui compte pour vous?

— Des détails, dit Jack. Ce qui brille dans les yeux des enfants... Un chat qui se nettoie la moustache avec sa patte... Les jeux infinis de la lumière dans le feuillage des arbres... La plainte déchirante d'une Ferrari dans la ligne droite des stands à Monza...

— Quelle est la principale qualité d'un écrivain?

— L'inconscience.

— Pourquoi dites-vous ça?

— J'en sais rien.

Le journaliste consigna les réponses, puis ferma son carnet.

— J'ai terminé, dit-il. Je fais quelques photos et puis je m'en vais. Une dernière question, juste entre nous : un bon livre, ce serait quoi?

— Je l'ai déjà dit à un de vos collègues : un bon livre c'est quand on a envie de tourner les pages pour connaître la fin de l'histoire et qu'on se retient de le faire par crainte de rater les qualités de l'écriture... Maintenant, pour vous remercier d'avoir pris des notes avec patience et sans vous plaindre, je vais vous offrir un texte de quelques lignes. Ça distraira vos lecteurs.

— Attendez! Si j'ai pris des notes par-ci par-là, c'était pour donner le change. Tout à l'heure, vous avez éteint le magnétophone et vous m'avez dit de le remettre dans mon sac... J'ai obéi, mais en le rangeant, je l'ai rallumé et, en ce moment même, il est en marche!

— Tant mieux pour vous! Votre habileté est une raison de plus pour que je vous fasse cadeau de ce petit texte. Je l'ai composé d'après un modèle que j'ai trouvé dans un journal.

Il se leva péniblement de sa chaise inclinable et, fouillant dans un tiroir de son bureau, celui du milieu, il en sortit ce texte imprimé, qu'il lut à haute voix :

Les Dix Commandements de l'Écrivain

1. Tu mettras ton premier roman au panier.
2. Tu voleras les idées de tes collègues.
3. Tu ne répondras pas aux critiques.
4. Tu ne déjeuneras pas avec ton éditeur.
5. Tu refuseras les prix littéraires s'ils ne sont pas accompagnés d'une somme d'argent.
6. Tu ne vérifieras pas si ton nouveau livre se trouve en librairie.
7. Tu diras du mal de tes collègues mais seulement dans leur dos.
8. Tu n'écriras pas tes mémoires.
9. Tu tâcheras de mourir jeune.
10. Tu ne passeras pas à la télé.

8

LA PETITE POUSSÉE

Miss n'était pas rentrée. Ne voulant pas me laisser tout le travail, Jack venait plus souvent à la
librairie. Malgré la différence d'âge, nous étions de
plus en plus proches.

Le travail avait augmenté pour une raison toute
simple : un brusque retour du froid nous avait in-
cités à rallumer le poêle, et aussitôt nos lecteurs
d'hiver, amateurs de café et de petites flambées,
nous étaient revenus. C'étaient des gens paisibles,
mais il y avait parmi eux quelques forts en gueule
sur lesquels je n'avais aucune autorité. Quand ils
abusaient de la bière ou du gros rouge, Jack se
levait, s'emparait du tisonnier, remuait les bûches
dans le poêle. Tout ce qu'il avait à faire ensuite,
pour rétablir le calme, c'était de tenir le tisonnier
rougi dans sa main pendant quelques secondes ; il
n'avait même pas besoin de regarder les fauteurs
de trouble.

J'avais tenté sans succès d'imiter son geste.

Dans mes temps libres, il continuait de m'enseigner la traduction de l'anglais au français. Il
utilisait pour cela les textes qu'il était lui-même
chargé de traduire pour le compte du *Dictionnaire
biographique du Canada*. Ces textes, qui ra-
contaient la vie d'un personnage, souvent peu
connu, de l'histoire du Canada, ne comportaient
pas de difficultés particulières ; il s'agissait d'arriver
à un français harmonieux tout en restant aussi près
de l'anglais que possible. Et pourtant, mon travail

terminé, quand je comparais ma traduction à celle de Jack, il me fallait admettre que je commettais de nombreuses fautes : vocabulaire imprécis, tournures maladroites, manque de sobriété.

Pour ajouter de l'intérêt, Jack se servait parfois de textes littéraires publiés dans les deux langues. Il aimait en particulier les nouvelles d'Hemingway et de Fitzgerald. Un jour, il me montra une nouvelle d'Hemingway intitulée *The Battler*, qui commençait ainsi :

> *Nick stood up. He was all right. He looked up the track at the lights of the caboose going out of sight around the curve.*

Il me demanda ce que je pensais de la version française :

> *Nick se leva. Il n'était pas blessé. Il regarda la voie devant lui à la lumière du wagon de queue qui disparaissait dans une courbe.*

D'après mon Harrap's, le mot *caboose* se traduisait plutôt par *fourgon de queue*, mais c'était la seule faute que je voyais.

— Il y a deux erreurs, dit Jack. Une petite qu'on ne voit pas et une grosse qui crève les yeux.

— Je cherche d'abord la grosse.

En lisant la suite du texte, je me fis une idée plus précise de la situation décrite par Hemingway. Son personnage, le jeune Nick, était monté en fraude dans un train de marchandises. Surpris par le garde-frein, il venait de recevoir une poussée qui l'avait éjecté du train en marche. Il se retrouvait à quatre pattes sur le ballast, se mettait debout et vérifiait s'il n'était pas blessé, pendant que le train disparaissait dans un tournant. Alors j'écrivis :

— *Nick se leva...*

— ... se *releva,* corrigea Jack. C'est la petite faute dont je parlais.

— Merci. *Nick se releva. Il n'avait rien. Il regarda, à l'autre bout de la voie, les lumières du fourgon de queue disparaître dans un tournant.*

— Pas mal! J'enlèverais les virgules pour que la phrase reproduise la marche régulière du train. D'accord?

— D'accord.

— Ensuite, pour l'euphonie, je dirais: «Il *vit* à l'autre bout...» au lieu de «Il *regarda* à l'autre bout...» Mais tu te débrouilles plutôt bien! Tu mérites un bon souper et je t'invite!

Je ne protestai que pour la forme, trop heureux de constater que Jack avait toute sa tête. D'autre part, j'étais assez content de moi et j'imaginais le regard tendre que Mistassini m'aurait lancé si elle avait été là. Mes progrès éveillaient cependant une inquiétude: je commençais à prendre conscience qu'entre les mots et moi se nouaient des liens qui risquaient de durer longtemps et peut-être même d'occuper une place trop grande dans ma vie.

Lorsque les clients et les flâneurs eurent quitté la librairie, Jack m'emmena non pas chez lui mais plutôt rue Sainte-Angèle, dans son restaurant italien préféré. En le voyant arriver, la serveuse disparut dans la cuisine et revint avec un cageot à oranges. Elle plaça celui-ci sur une table située dans un coin, à côté d'un buffet en chêne, et elle le couvrit d'une petite nappe festonnée. Cette installation permettait à Jack de se mettre dans la position la plus reposante pour le bas de sa colonne, c'est-à-dire mi-assis mi-debout, les fesses appuyées contre le rebord du buffet, les coudes posés sur le cageot. J'étais obligé de lever la tête pour lui parler, mais ce n'était pas nouveau pour moi: il avait le même genre d'installation chez lui, rue des Remparts, sauf qu'il utilisait une robuste caisse en plastique à la place du cageot en bois.

Tandis que la serveuse apportait les menus, je posai à Jack la question qui me trottait dans la tête :

— Est-ce que les mots construisent un mur autour de vous ? Est-ce qu'ils vous enferment dans une tour ?

Au lieu de répondre, il s'absorba dans la lecture du menu. Je n'étais même pas sûr qu'il eût entendu. Le silence se prolongea. La serveuse eut le temps de revenir et de prendre nos commandes. Alors seulement Jack répondit :

— C'est pas la bonne question.

— Comment ça ?

— La bonne question, c'est de savoir si on choisit la vie ou la représentation de la vie.

— Et alors, qu'est-ce qu'il faut choisir ?

— La représentation de la vie est mille fois plus intéressante. Excepté que, vers la fin...

Il laissa la phrase en suspens et un certain nombre de fantômes s'approchèrent de la table dans un silence menaçant. Je fus soulagé quand il revint à des choses plus concrètes.

— As-tu des nouvelles de Mistassini ?

— À vrai dire, j'en attends pas.

— Tu penses qu'elle ne reviendra pas ?

— Elle va revenir quand elle en aura envie. On ne le saura pas d'avance, un beau jour elle sera là.

— Je m'ennuie d'elle, dit-il.

— Moi aussi, dis-je.

— Et je m'ennuie de Gabrielle.

Il poussa un léger soupir.

— Les femmes, c'est du rêve, conclut-il.

La serveuse arrivait déjà avec les plats. Elle avait entendu la dernière phrase de Jack et, posant le risotto à la milanaise sur son cageot, elle le gratifia d'un bec sonore sur le front. Il ferma les yeux et laissa aller sa tête grise sur la poitrine de la fille. Elle ne disait rien, elle attendait en souriant. Jack souriait lui aussi, mais il avait l'air d'un vieil enfant et j'étais mal à l'aise de le voir.

Une chose cependant me plaisait bien. En parlant de Miss, il ne disait pas «ta sœur», ce qui aurait été une façon de me mettre dans mon tort; il disait toujours son nom ou son surnom. Une autre chose qui me plaisait: un jour, il avait énoncé le principe que, dans les rapports amoureux, on avait le droit de tout faire, à la condition de ne pas imposer sa volonté à l'autre.

— Je veux te demander une chose, dit Jack. C'est d'ailleurs pour ça que je t'ai invité.

— Je pensais que c'était à cause de mes progrès en traduction...

— Excuse-moi, j'oublie souvent les choses qui viennent d'arriver. Heureusement que j'ai encore la mémoire des choses anciennes.

Pour se rassurer, il se mit à chantonner *Marie-Hélène,* une des plus vieilles chansons de Sylvain Lelièvre. Il la chanta d'un bout à l'autre, apparemment sans se tromper. Les gens aux tables voisines nous regardaient avec bienveillance, certains même avec une sorte de complicité.

La chanson terminée, Jack se mura dans un silence qui dura jusqu'au dessert. Ses sourcils étaient froncés, des tics nerveux agitaient son visage. En apportant la salade de fruits avec crème glacée à la vanille que nous avions commandée, la serveuse lui glissa un mot à l'oreille. Il sortit un flacon de sa poche, versa deux comprimés au creux de sa main et les avala avec un peu d'eau.

Subitement, il parut étonné de me voir en face de lui, puis il se ressaisit:

— Qu'est-ce qu'on disait?

— Vous aviez quelque chose à me demander...

— Ah oui... Encore faut-il que je trouve les mots qui conviennent.

Il mangea son dessert à petites bouchées, marmonnant des choses incompréhensibles, inclinant la tête d'un côté puis de l'autre, comme s'il essayait différentes formulations. Ensuite, il but une gorgée de chocolat chaud et essuya avec son doigt la mousse qui était restée dans les poils de sa moustache.

— Voilà, dit-il. C'est au sujet de la maladie que j'ai, la maladie dont j'oublie toujours le nom... Je t'en ai déjà parlé, tu te rappelles?

— Je me rappelle très bien, dis-je en tâchant de contenir mon inquiétude.

— Eh bien, c'est une maladie... pernicieuse. Ça ne se guérit pas, ça ne peut que s'aggraver avec le temps. Tout ce qu'on peut faire, c'est retarder l'échéance. Un jour, les choses s'embrouillent et on ne sait plus très bien qui on est. C'est comme si on était perdu. On ne peut plus se débrouiller tout seul, on est comme un enfant... Alors, la question que je veux te poser...

Il n'était pas tout à fait prêt. Pour se donner le temps de réfléchir, il demanda à la serveuse de remettre une boule de crème glacée dans sa coupe de fruits. Il malaxa la crème glacée et un soupçon de chocolat chaud et se mit à la déguster très lentement.

— Ma question est la suivante, reprit-il. Le jour où je perdrai la raison, il ne faudra pas m'envoyer à l'Hôtel-Dieu et je ne veux pas non plus être à la charge de quelqu'un. Pour moi, ce sera le moment de partir. Seulement, je ne sais pas si je serai capable de le faire moi-même, j'aurai peut-être besoin... d'une petite poussée. Alors, je veux savoir si tu accepterais...

Je levai la main pour lui dire que j'avais compris et que ce n'était pas nécessaire de dire le reste. Il ajouta que je n'étais pas obligé de lui donner ma réponse sur-le-champ.

— Je vais réfléchir, dis-je.

Je mentais. En réalité, j'étais en train de faire un calcul sordide. Puisqu'il perdait la mémoire, le vieux Jack allait probablement oublier qu'il m'avait posé la question: avec un peu de chance, je n'aurais pas besoin de lui répondre.

J'avais honte de moi.

Il me demanda si j'avais bien mangé et si je voulais autre chose. Je ne voulais rien d'autre. Il repoussa son cageot en bois et sortit du restaurant sans dire au revoir à la serveuse, ni aux deux ou trois personnes qu'il connaissait. Il oubliait de payer, mais la serveuse me fit comprendre par signes que ce n'était pas grave, qu'elle allait s'en occuper plus tard.

Je le suivis dans la rue et, pour ne pas le quitter abruptement, je le reconduisis chez lui, rue des Remparts. Je ne disais rien, je me sentais nul parce que je n'avais pas eu le courage de prendre mes responsabilités.

Au retour, la rue Saint-Jean était presque vide à cause de la fraîcheur de l'air, et tout là-haut, les étoiles me parurent froides et inaccessibles. J'avais le pressentiment que Miss ne serait toujours pas rentrée. Je ne me trompais pas.

9

CONVERSATION AVEC L'ÉDITEUR

Un après-midi vers cinq heures, Jack me télé-
phona. Il recevait son éditeur et souhaitait que
j'assiste à l'entretien. Il ne donnait aucune explication. Miss n'était toujours pas là, alors je n'eus
pas d'autre choix que de fermer la librairie après
avoir poussé les clients dehors, aussi doucement
que possible.

Rue des Remparts, l'escalier menant chez Jack
semblait avoir été conçu spécialement pour ne pas
fatiguer ses jambes. Après les premières marches
un peu raides, on accédait très vite à un palier où
s'ouvrait un couloir allant vers l'arrière, et de là,
par petites étapes, on montait sans effort jusqu'au
dernier étage.

L'appartement comprenait quatre pièces en
enfilade, la plus agréable étant la salle de séjour,
à l'avant, qui donnait une vue magnifique sur le
fleuve. Il y avait également une grande cuisine,
une bibliothèque et une chambre avec salle de
bain. Dans la cuisine, une porte-fenêtre et deux
marches en ciment permettaient de descendre sur
sa petite terrasse décorée d'arbustes et de fleurs;
de l'autre côté de cette terrasse, en remontant deux
marches identiques, on accédait à une pièce sup-
plémentaire où je n'étais jamais entré : la chambre
mystérieuse dont la fenêtre, un soir de pleine lune,
s'était éclairée d'une lueur fugitive.

À mon arrivée, Jack et son éditeur prenaient
l'apéro sur la terrasse. Jack me présenta et fit, au

sujet de mon travail, des commentaires si élogieux que je ne savais plus où me mettre. Non seulement il affirmait que j'avais fait des progrès spectaculaires en traduction, ce qui était nettement exagéré, mais en plus il laissait entendre que j'avais des ambitions littéraires, ce que je ne m'étais pas encore avoué à moi-même!

Ils étaient installés dans la section de la terrasse que Jack appelait le solarium; c'était un espace abrité du vent et bordé de jeunes conifères, sous l'avancée du toit. Confortablement étendus sur des chaises longues, ils profitaient des premières vraies chaleurs du printemps. L'éditeur, un homme grand et mince, d'allure distinguée, s'était mis pieds nus et souriait d'aise; je fus impressionné par son regard attentif et bienveillant. Jack ne portait qu'un short et son chapeau de tennis. Sa maigreur était extrême, et moi qui pensais avoir l'esprit large, je me sentais comme un voyeur devant le spectacle de ses épaules décharnées, de sa poitrine osseuse, de ses jambes semblables à des échasses. Lui tournant à moitié le dos, je m'assis dans une chaise de jardin en face de l'éditeur après avoir pris une canette de bière.

— On peut vous demander ce que vous avez l'intention d'écrire? me demanda poliment l'éditeur.

— J'en sais rien moi-même! déclarai-je, assez heureux de cette réponse qui, au moins, ne contredisait pas les propos tenus par Jack à mon arrivée.

— Vous avez du temps devant vous...

— On dit toujours ça.

Le sourire de l'éditeur s'élargit.

— En attendant, dit-il, il faut lire beaucoup et voyager.

— C'est aussi mon avis, dit Jack.

— Et vous-même, monsieur Waterman, comment allez-vous?

— Je suis une ruine ambulante. À part ça, tout va bien.

— Avez-vous commencé à écrire quelque chose?

— Non.

— C'est peut-être aussi bien.

Je tournai la tête vers Jack, mais comme son chapeau de tennis lui descendait sur les yeux et qu'en plus il avait mis ses lunettes de soleil, je ne pus deviner s'il était offusqué ou non. Je m'attendais au pire, sachant qu'il avait tendance à penser que le monde entier lui en voulait. En outre, pour quelque obscure raison, quand il faisait une crise de paranoïa, ses neurones se bloquaient plus facilement et on ne tardait pas à voir les effets de la maladie dont il oubliait toujours le nom.

— Vous préférez que je n'écrive pas? demanda Jack d'une voix qui frémissait d'indignation.

— Non, je dis seulement qu'il vaut mieux s'arrêter entre deux livres, prendre le temps de vivre. Comme faisait Hemingway. C'est une façon de renouveler l'inspiration.

— Vous trouvez que mes livres se ressemblent trop?

— Pas du tout, monsieur Waterman! Pourquoi cette question?

L'éditeur s'était redressé dans sa chaise longue, posant ses pieds nus sur le carrelage. Son étonnement était sincère.

— Parce que c'est exactement ce que je pense: ils se ressemblent trop, répondit Jack. Quelque chose s'est détraqué dans ma tête.

— Comme ils viennent du même auteur, c'est normal qu'ils se ressemblent un peu, dis-je pour le rassurer.

— Mais s'ils se ressemblaient trop, je ne les publierais pas! ajouta l'éditeur. D'ailleurs, ils ne se vendraient pas.

— Comme le petit dernier? demanda Jack.

— Là, vous avez tort: il se vend plutôt bien, compte tenu du fait que vous avez donné une seule entrevue...

Jack alluma une cigarette. Depuis quelque temps, il s'était remis à fumer, à boire et à manger n'importe quoi.

— Écoutez, dit-il, vous ne voulez quand même pas que je fasse la promotion de mes livres?

— C'est pourtant ce que font tous les auteurs ou presque!

— Ils le font à votre place!

— Qu'est-ce que vous voulez dire? demanda calmement l'éditeur.

— Dans les contrats, vous vous engagez à publier les œuvres, à les diffuser et à les *faire connaître*, non?

— Quelque chose de ce genre...

— Pour ce qui est de les *faire connaître*, vous vous acquittez plutôt mal de vos obligations. C'est l'auteur qui se tape tout le travail: journaux, radio, télé... Lui qui s'est éreinté pour écrire le livre, qui est allé au bout de ses forces et de son talent, il doit encore faire la tournée des médias et répondre dix fois aux mêmes questions. Vous n'avez pas honte?

L'éditeur ne répondit pas tout de suite. Il espérait sans doute que Jack allait se rendre compte par lui-même à quel point il exagérait. Je trouvais moi aussi que ses propos étaient excessifs. Nous avions déjà réfléchi à cette question, Miss et moi, et nous avions conclu que les auteurs n'avaient pas le droit de se plaindre: personne ne les forçait à écrire, et si le travail leur paraissait trop dur, ils pouvaient toujours choisir un autre métier.

— La plupart des auteurs sont heureux de répondre aux journalistes, affirma l'éditeur.

Il avait raison. Moi-même j'avais vu, à la télé, des auteurs afficher un sourire de contentement qui s'élargissait à mesure que l'animateur énumérait leurs œuvres.

— Ils sont remplis d'eux-mêmes, dit Jack. Ils racontent qu'ils sont chargés d'une mission, qu'ils écrivent presque malgré eux, comme si quelqu'un leur dictait les mots, et qu'ils éprouvent un besoin irrépressible de communiquer.

— Et ce n'est pas la vérité?

— La vérité, dit-il avec une colère rentrée qui ne lui était pas coutumière, c'est que le travail de l'écrivain n'a rien à voir avec la communication. Au contraire, l'écriture est une activité tout à fait égocentrique, et ceux qui s'y adonnent ne s'intéressent qu'à eux-mêmes et à la satisfaction de leurs propres besoins.

Je me calai dans ma chaise de jardin, les genoux relevés, le visage dissimulé par la canette de bière que je tenais à deux mains; je laissais passer l'orage. L'éditeur n'eut pas du tout la même réaction:

— Vous avez raison, dit-il, on écrit toujours pour soi-même. C'est une vérité qu'on découvre avec le temps. Mais s'il y a des gens qui pensent autrement, à quoi bon les détromper?

— Ça ne sert à rien, concéda Jack d'une voix fatiguée.

Il se leva, s'étira les jambes, fléchit sa colonne dans tous les sens. L'éditeur se leva lui aussi et je fis de même. La terrasse invitait au calme et à la bonne entente, avec ses jeunes arbres poussant dans de larges bacs de terre et ses corbeilles de fleurs suspendues aux poteaux qui soutenaient l'avancée du toit; on était comme dans un jardin. Miss et moi, une nuit où la brise du fleuve chassait les maringouins, nous avions obtenu la permission d'y dormir, enveloppés dans le grand sac de couchage de Jack, et nous ne nous étions assoupis qu'au petit matin, après avoir passé des heures à regarder les étoiles et un engin spatial dont les panneaux solaires étaient très lumineux.

— Pour revenir à ce qu'on disait tantôt, reprit l'éditeur en marchant de long en large, la seule chose qui compte, c'est le résultat, vous ne pensez pas?

Jack écrasa son mégot avec sa sandale et fit signe qu'il était d'accord. Je l'étais aussi, mais personne ne me demanda mon avis. Nous étions tous les trois en face du fleuve, qui s'élargissait tout à coup entre la pointe de Lauzon et l'anse de Beauport, se partageant en deux bras pour entourer l'île d'Orléans. Le paysage était immense, presque trop vaste, et on pouvait difficilement le contempler sans songer aux grands voiliers partis de Saint-Malo ou de La Rochelle au XVIe siècle pour chercher l'Eldorado ou une sorte de paradis perdu. Et pour ma part, toute cette beauté qui se déployait à perte de vue me donnait le sentiment que, dans l'ordre des choses du cœur, le Québec était mon pays.

— On est vraiment très bien sur cette terrasse, dit l'éditeur. Est-ce que vous y venez parfois pour écrire?

— Écrire dehors, c'est bon pour les jeunes, dit Jack. Moi, j'y viens seulement pour lire ou rêver, ou veiller sur Gabrielle quand elle est dans sa chambre. Mais il me serait impossible d'écrire, tout me distrairait : les bateaux, les nuages, les hirondelles...

— Pourtant vous avez écrit un peu partout, sur le bord des routes et dans les campings, quand vous êtes allé en Californie avec le minibus Volkswagen.

— J'étais en meilleure forme dans ce temps-là.

— Le livre se vend encore très bien, dit l'éditeur. Les gens continuent de l'acheter.

— Tant pis pour eux! dit Jack.

Son visage avait pris un air chagrin qui était de mauvais augure. L'éditeur tenta de lui redonner un peu de confiance en soi.

— Un homme à la recherche de son frère, c'était un bon sujet, dit-il d'une voix qui chantait presque, tellement elle se voulait encourageante.

— Ah oui, son frère Majorque...

J'étais atterré. Le frère Majorque, ce n'était pas dans son livre qu'il se trouvait, mais bien dans un roman de Gabrielle, intitulé *De quoi t'ennuies-tu,*

Éveline? Je n'osai même pas regarder le visage de l'éditeur, qui devait être complètement décomposé. Où allions-nous, devait-il se dire comme moi, si le vieux Jack en arrivait à confondre ses personnages avec ceux qui avaient été mis au monde par un autre écrivain?

10

TENDER IS THE NIGHT

La librairie était fermée depuis longtemps, la nuit commençait et j'étais au lit avec Charabia et un livre de science-fiction, *Les Joueurs de Titan,* de Philip K. Dick.

Je n'étais pas un maniaque de cette littérature, très à la mode chez les lecteurs de mon âge, mais le livre de Dick me convenait ce soir-là pour deux raisons : j'avais envie de changer d'univers, le mien étant un peu monotone; et puis, la première phrase m'avait accroché : *Il venait de connaître une nuit éprouvante, et, quand il voulut rentrer chez lui, il eut une dispute avec sa voiture. — Mr Garden, lui dit-elle, vous n'êtes pas en état de conduire. Branchez le pilotage automatique et reposez-vous sur le siège arrière.*

Alors que je commençais le troisième chapitre, le jeune Charabia quitta brusquement le creux de mon ventre et courut vers la grande salle. Je crus que le chat, empêché de dormir par les tressautements de mon estomac quand le texte me faisait rire, allait se réfugier à l'endroit où il avait habituellement la paix, c'est-à-dire dans le premier tiroir du bureau de Jack, que nous laissions entrouvert à cette fin.

Je venais de reprendre ma lecture quand il me sembla entendre des bruits provenant de la salle. Intrigué et vaguement inquiet, je posai mon livre et me levai pour aller jeter un coup d'œil. À l'instant même où j'allais sortir, tout nu, de la Parenthèse, j'aperçus des lueurs et des ombres mystérieuses qui couraient sur le mur. Alors j'enfilai vite mon jean et mon chandail gris en me disant que, puisque le poêle n'était pas allumé, les lueurs ne pouvaient venir que de la lampe d'un cambrioleur qui voulait s'emparer de la caisse. Ou bien c'était Jack qui avait des problèmes de neurones.

Je me trompais. Ce que j'aperçus, en entrant dans la salle, m'enchanta et se grava pour toujours dans mon cœur. Miss était revenue – ma petite sœur, la moitié de mon âme – et elle tenait à deux mains une sorte de carrousel illuminé qui tournait sur un pivot. Elle le posa sur le comptoir avec des précautions infinies. J'étais tellement émerveillé que je n'arrivais pas à dire un mot. En m'approchant, je vis que le carrousel, en cuivre ou peut-être en laiton, comprenait six chevaux : ils tournoyaient, avec un joli tintement de clochettes, sous l'effet de la chaleur qui montait des bougies fixées sur le socle.

Charabia bondit silencieusement sur le comptoir. Il fit mine de tendre une patte vers la flamme d'une bougie mais il retint son geste et se coucha, les pattes de devant repliées à la manière des moines qui enfouissent leurs mains dans les manches de leur bure. Il regardait tantôt le carrousel, tantôt l'ombre agrandie des chevaux qui courait sur les murs et sur les livres autour de nous.

Miss portait une longue robe blanche en lin avec des oiseaux brodés à l'encolure et sur les manches. À son sourire un peu mélancolique, je compris que le carrousel avait pour but d'effacer le sentiment d'abandon que j'avais pu éprouver durant son absence. En m'accoudant au comptoir en face d'elle, je découvris une chose que l'énervement m'avait empêché de voir : des paillettes et des étoiles de couleur étaient collées sur son visage. Quand je l'embrassai, une de ces minuscules étoiles adhéra à ma lèvre inférieure ; pour me l'enlever, elle humecta le bout de son index qu'elle passa ensuite très délicatement sur ma lèvre.

— Merci, dis-je.

Comme un enfant, j'aurais passé des heures à contempler la flamme des bougies, la ronde des chevaux dorés, les ombres géantes et les yeux brillants de Mistassini. J'ignore combien de temps nous restâmes ainsi face à face, immobiles et silencieux... Tout à coup, ma sœur s'écroula.

Je fis rapidement le tour du comptoir. Elle était couchée sur le dos, sans connaissance, une jambe repliée sous elle; elle portait des mocassins.

— Miss?

Affolé, je répétai son nom plusieurs fois. Je dépliai sa jambe sans savoir exactement ce qu'il fallait faire. Au cinéma, j'avais vu des gens tapoter la main ou la joue d'une personne évanouie; et même, dans les westerns, ils lui jetaient un seau d'eau à la figure. Je tapai doucement dans sa main, sans résultat, et je n'osai pas lui tapoter la joue par crainte de lui faire mal. L'idée me vint de demander du secours, mais je n'arrivais pas à décider s'il valait mieux appeler une ambulance ou la police, ou encore le vieux Jack.

Tout en essayant de réfléchir, j'allumai la lampe du bureau de Jack et soufflai les bougies du carrousel. Les ombres galopant sur les murs s'évanouirent et une accalmie se fit dans ma tête. Je décidai de me débrouiller seul. Bien que très pâle, Miss ne semblait pas souffrir d'une blessure ou d'un malaise grave: elle respirait bien et n'était pas prise de convulsions. Me plaçant derrière elle, je la saisis sous les aisselles pour essayer de la mettre debout. Ce fut impossible, son corps était trop mou, alors je la traînai dans cette position jusqu'à la Parenthèse, où je parvins à l'installer sur mon matelas après avoir mis celui-ci par terre; elle avait perdu ses mocassins pendant le trajet.

Comme son visage était presque aussi blanc que sa robe, je plaçai un oreiller sous ses jambes pour activer la circulation sanguine. Il me vint ensuite une idée toute simple: j'ouvris le frigo et, prenant un cube de glace, je l'appliquai sur son front et sur ses tempes. Elle reprit ses sens et me regarda, l'air perdue.

— On est à la librairie du Vieux-Québec, dis-je. Ne t'inquiète pas.

Elle fit signe qu'elle comprenait, mais il y avait encore de la brume dans ses yeux bleus.

— Tu es entrée avec un beau carrousel tout illuminé, et des chevaux qui tournaient, et des ombres qui galopaient sur les murs couverts de livres. C'était magnifique, on était en train d'admirer ça, moi et Charabia, et brusquement tu es tombée dans les pommes.

— Ah oui! fit-elle dans un souffle.

Elle se rappelait. Je la quittai un instant pour servir une soucoupe de lait au chat qui avait accouru en entendant s'ouvrir la porte du frigo. Elle tenta de se lever, mais comme son visage était toujours aussi pâle, je lui recommandai de ne pas bouger.

— Alors tu m'as portée jusqu'ici? demanda-t-elle.

— Bien sûr, dis-je.

— C'était pas trop lourd?

— Pas du tout!

Le mensonge devait se voir sur mon visage, alors je tournai le dos à ma sœur pour aller chercher ses mocassins qui étaient restés à côté du bureau de Jack. En revenant, je m'aperçus qu'elle se palpait le ventre du bout des doigts. Je me penchai sur elle:

— As-tu mangé quelque chose aujourd'hui?

— Non, dit-elle. J'ai complètement oublié.

— Je vais t'arranger ça.

— C'est gentil. Mais il est tard...

— Pas tant que ça. Je suis ravi que tu sois là, j'aime beaucoup le carrousel que tu m'as apporté et ça me fait drôlement plaisir de voir que tu n'es pas malade.

Pour conclure cette déclaration, qui était pour moi d'une longueur inhabituelle, je me penchai un peu plus et frottai mon nez contre le sien, ce qui, dans notre code, signifiait: «À la vie, à la mort!» Mon but était de la faire sourire et ce fut une réussite. Ensuite je lui proposai une bonne soupe. Je suis un expert en ce qui concerne le mélange des soupes en boîte. Au cours des années, j'ai essayé plusieurs recettes et je peux affirmer qu'on obtient un excellent résultat en mélangeant un bouillon de poule aux vermicelles avec une soupe aux légumes moulinés.

D'abord je fis bouillir un litre d'eau.

— Est-ce que tu pourrais enlever l'oreiller de sous mes jambes? demanda Miss.

— Bien sûr, dis-je.

— Je me sens un peu mieux...

— En tout cas, tu es moins pâle que tout à l'heure.

— Ça gargouille dans mon ventre, je crois que j'ai vraiment très faim.

— C'est sûrement pour ça que tu es tombée dans les pommes.

Je lui enlevai l'oreiller et l'aidai à s'asseoir sur le matelas, le dos appuyé au mur, puis je retournai à mon réchaud. Je versai peu à peu le sachet de soupe déshydratée «poule aux vermicelles» dans l'eau frémissante; après avoir patienté cinq minutes en remuant de temps en temps avec ma cuiller en bois, j'ajoutai la soupe aux légumes, à petites cuillerées pour éviter les grumeaux.

— Ça sent bon! dit Miss. Ça sent comme chez nous...

Elle se tut et ferma les yeux. Nous faisions rarement allusion au passé – c'était une convention tacite entre nous – mais j'étais sûr qu'elle pensait comme moi à ce dimanche matin où, encore adolescente, elle avait quitté la maison sur un coup de tête. À cette époque, nous habitions un village situé au bord d'une rivière; de l'autre côté s'étendait une forêt si vaste que nous n'en connaissions pas la fin. Le village était en lui-même un univers, il comprenait tout ce dont nous avions besoin pour grandir : chiens et chats, amis, terrains de jeux, adultes étranges et doués pour conter des histoires.

Nous avions tout ce qu'il nous fallait, et pourtant, ce matin d'été, ma petite sœur était partie. Elle avait mangé avec nous et puis, sortant d'un placard son sac à dos tout préparé et disant qu'elle avait du monde à voir, elle avait descendu la côte qui longeait le court de tennis ; sa tête blonde dépassait à peine de l'énorme sac kaki. Je l'avais suivie des yeux, posté à une fenêtre du hangar qui était couverte de toiles d'araignées. En arrivant à la rue principale, elle avait simplement levé le pouce et, une minute plus tard, elle était montée dans un pick-up rouge.

Ce départ nous avait pris par surprise. Ma petite sœur était une fille normale : elle grimpait aux arbres, elle patinait sur la rivière gelée, elle avait, au tennis, un revers à deux mains qui lui permettait de prendre la balle très tôt, comme Martina Hingis. Il est vrai, d'autre part, qu'elle passait des heures à lire et que, par moments, elle avait l'air absente ou perdue, emmurée en elle-même, mais personne ne se doutait qu'elle pouvait avoir une volonté aussi farouche.

Après avoir laissé la soupe reposer un moment, j'en versai deux louches dans un grand bol ; elle fumait et le bol me brûlait les doigts.

— Juste une seconde ! dis-je.

Prenant deux autres glaçons dans le congélateur du frigo, je les mis dans le bol. Du coup, la soupe déborda, mais j'avais eu le bon sens de placer le bol dans l'évier. J'avalai plusieurs cuillerées de soupe pour m'assurer que ce n'était pas trop chaud, puis je m'approchai de Miss avec le bol. Comme elle avait les mains qui tremblaient, je m'agenouillai près d'elle sur le matelas et commençai à la nourrir moi-même en portant la cuiller à sa bouche. Entre chaque cuillerée de soupe, elle souriait et, même si elle ne disait rien, j'étais certain qu'elle se rappelait le temps où elle était petite.

Quand il ne resta qu'un fond de soupe, elle me prit le bol des mains et le mit par terre à l'intention de Charabia qui tournait autour de nous. Quelques instants plus tard, elle ferma les yeux, sa tête s'inclina sur le côté et, très lentement, tandis qu'elle s'agrippait des deux mains à l'oreiller, le haut de son corps bascula sur le matelas. Je ramassai le bol vide et éteignis la lampe.

Elle dormait. À la petite lueur, venant d'un appartement voisin, qui tombait de la lucarne, je vis que son sommeil était agité, alors je m'allongeai derrière elle, un bras autour de sa taille. D'instinct elle se colla tout contre mon ventre, puis sa respiration ralentit et devint plus régulière. Un peu plus grand qu'elle, j'avais sa tête au creux de mon cou et ma joue était appuyée sur ses cheveux courts qui sentaient la camomille.

Je m'abstins de bouger pour ne pas la réveiller. Il me fut impossible de dormir, mais je n'en étais pas moins heureux d'avoir retrouvé ma petite sœur, de la tenir dans mes bras, de sentir les courbes de son corps se fondre avec les miennes et de lui chuchoter à l'oreille, sachant qu'elle ne m'entendait pas, les mots que je ne pouvais pas lui dire.

Au milieu de la nuit, ayant l'épaule ankylosée, je dégageai le bras que j'avais passé autour de sa taille et, me levant sans faire de bruit, j'allai faire les cent pas dans la librairie éclairée par les lumières de la rue. Après avoir écouté un moment le «murmure des livres», je ne résistai pas à l'envie de rallumer les bougies du carrousel. Aussitôt, les chevaux dorés se remirent à tourner avec un tintement de clochettes, projetant des ombres noires sur les murs et ramenant à ma mémoire une très vieille chanson que Jack m'avait apprise, où les chevaux du roi accouraient pour boire ensemble à une rivière qui coulait dans le mitan du lit.

Sur le comptoir, à côté de la caisse, je trouvai un livre que j'emportai dans la Parenthèse. C'était *L'Attrape-cœurs*, de Salinger.

Je repris ma place auprès de Miss, remettant mon bras autour d'elle, mes genoux au creux des siens, mon nez dans ses cheveux courts; elle fit entendre comme un murmure de contentement. Le sommeil m'envahissait. Plusieurs idées me trottaient dans la tête, en désordre et en lambeaux... Il y avait tout ce qu'il fallait pour le petit déjeuner dans le frigo, et même plusieurs sortes de confitures: fraises, bleuets, abricots et beurre d'arachide dans l'armoire, c'était un coup de chance... Ma sœur et moi, nous cherchions tous les deux quelque chose, une sorte de paradis, qui devait se trouver au-delà de l'intimité, mais nous ne savions pas ce que c'était au juste, ni comment y parvenir... Après *L'Île au Trésor*, c'était la deuxième fois que Jack laissait un livre à mon intention; j'ignorais pourquoi il agissait ainsi, il avait sûrement une idée en tête...

Il faisait encore nuit et je dormais depuis un moment, rêvant que c'était l'hiver et que nous traversions la rivière gelée et blanche de notre ancien village pour entrer dans la forêt, lorsque Miss se redressa soudainement et m'éveilla du même coup. Assise sur le petit matelas, elle prit ma main et la passa sur son front trempé de sueur. Elle se mit de côté, me pria de descendre la fermeture éclair de sa robe, puis elle fit passer le vêtement par-dessus sa tête dans un mouvement alangui par le sommeil que je trouvai très beau. Les angles et les courbes de son corps m'étaient familiers, mais c'était un bonheur et un cadeau du ciel que de les voir une nouvelle fois, surtout dans la pénombre qui leur donnait un aspect mystérieux.

Miss se tourna vers moi. Je ramenai le drap sur nous en retenant mon souffle. Le visage tout près du mien, elle se mit à suivre avec son doigt l'arc de mes sourcils, l'arête de mon nez, le contour de ma bouche, comme si elle me dessinait, et elle termina son geste en appuyant la paume de sa main sur mes yeux; l'arrondi de sa paume emplissait avec précision l'orbite de mon œil.

Elle m'embrassa sur la joue, à côté de l'oreille, et ses lèvres glissèrent au creux de mon épaule. J'étais attentif à tout ce qui se passait, en particulier aux frémissements qui naissaient dans mon cou et tombaient en cascades jusqu'au bas de mon dos. Un moment, elle appuya sa tête sur mon épaule et je crus qu'elle se reposait. En ouvrant les yeux, je fus un peu déçu de voir que les siens étaient déjà fermés et que sa respiration devenait plus ample. Je m'étais fait à l'idée qu'elle allait continuer ses caresses: c'est ce dont on a le plus besoin, les caresses, et pourtant c'est ce qu'il y a de plus difficile à demander.

Blottie contre moi, anéantie par la fatigue, elle s'endormit. Petit à petit, je me tournai sur le dos. Je veillais. Je somnolais à certains moments. Par la lucarne du toit, j'apercevais des étoiles dont je ne connaissais pas le nom. Miss bougeait dans son sommeil: elle posa un genou en travers de mes jambes, mit une main sur ma hanche, reposa sa tête sur ma poitrine. Charabia nous rejoignit un peu plus tard et se coucha sur mon ventre.

C'est dans cette position, à peu de choses près, que Jack nous trouva le lendemain matin, vers neuf heures trente. Quelqu'un l'avait prévenu que la librairie n'était pas encore ouverte et, tout de suite, il s'était fait du souci pour moi. En fait, si j'étais resté au lit, c'était seulement pour donner à Miss la chance de dormir aussi longtemps que possible, je le jure. En nous voyant dans les bras l'un de l'autre, il parut soulagé; il se mit à genoux et, tout en évitant de la réveiller, il embrassa ma petite sœur sur la tempe, à l'endroit où ses cheveux blonds étaient le plus courts. Chaque fois qu'il s'approchait d'elle, qu'il la touchait, mon cœur se serrait un peu. Il murmura qu'elle était belle comme un ange: ce fut son seul commentaire, puis il sortit de la Parenthèse et alla s'occuper de la librairie.

Il répondit aux clients aussi longtemps que Miss ne fut pas levée. Il ne m'adressa aucun reproche, ni avant de partir, ni quand il revint le soir pour souper avec nous. Lui qui ne connaissait presque rien à la cuisine, il avait préparé, en l'honneur de Miss, une tarte au butterscotch qui était encore toute chaude.

Lorsque je le reconduisis chez lui, après le souper, il se mit à m'exposer une idée avec tant de détours et d'hésitations que je ne voyais pas où il voulait en venir. Nous arrivions à la rue Couillard, qui menait tout droit à son appartement, mais il décida de faire un crochet par la côte de la Fabrique; c'était de toute façon ma rue préférée.

— Sais-tu ce que tu devrais faire? demanda-t-il.

— Non, dis-je.

— Tu devrais partir en voyage.

Ma première réaction fut de me dire qu'il cherchait peut-être à m'éloigner de Miss. À la vérité, ce n'était pas son genre.

— Pourquoi? demandai-je.

— Pour te mettre du plomb dans la tête! répondit-il en riant. Puis il reprit son sérieux: Non, dit-il, c'est pour avoir une bonne réserve d'images.

— À quoi ça sert?

— Ça sert quand on veut faire un travail d'invention (c'est le mot qu'il employait le plus souvent au lieu de *création* qui lui semblait prétentieux). Les images qu'on invente, par exemple en écrivant, sont le reflet de celles qui dorment dans notre mémoire. C'est comme si on avait un miroir au fond de nous-mêmes. Tu comprends?

— Pas vraiment, dis-je.

— Ça ne fait rien. Je ne comprends pas moi-même.

En haut de La Fabrique, il me fit traverser la rue Buade et j'entrai avec lui chez Giguère. Il consulta le sommaire de plusieurs magazines, mais rien ne sembla l'intéresser et il sortit après avoir acheté une tablette de chocolat noir. Nous prîmes ensuite la direction des Remparts. Je voulus en savoir plus long sur ce qu'il avait en tête.

— Alors vous pensez que je devrais voyager?

— Bien sûr, fit-il.

— Où ça?

— En France, par exemple.

— J'y suis déjà allé quand j'étais étudiant. J'ai passé quelques jours à Paris, ensuite je suis allé voir le Grand Prix de Monaco et j'ai visité la Côte d'Azur en solex; je me suis même rendu aux Saintes-Maries-de-la-Mer.

Jack devait avoir plusieurs choses à m'expliquer, car il alluma une cigarette et proposa un autre détour par le parc Montmorency. Je fus alors assailli de questions auxquelles il ne me laissait pas le temps de répondre. Est-ce que, dans le Midi, j'avais pris la peine de visiter les petits villages de la Provence? Est-ce que, sur la Côte, je m'étais arrêté au Lavendou et à Cassis? Est-ce que j'avais assisté au pèlerinage des gitans? Est-ce que, à Paris, j'avais vu la fontaine de Médicis, le passage Choiseul, le Lapin Agile, la Cité Florale, la Butte-aux-Cailles?

Avec une facilité qui m'étonna, il nomma encore un grand nombre d'endroits dont je n'avais jamais entendu parler, puis il demanda combien de temps avait duré mon voyage. En tout et pour tout, je n'étais resté que trois semaines. D'après lui, c'était insuffisant: on ne pouvait connaître un pays que si on partageait la vie quotidienne des gens pendant plusieurs mois. Évidemment c'était plus cher, mais il avait des amis dans le XIIᵉ arrondissement, à Paris, qui pouvaient me loger gratuitement. En plus, si je voulais visiter d'autres régions à peu de frais, il connaissait un journal dans lequel des particuliers offraient des minibus usagés à prix modique. Quant à mes dépenses, une partie serait couverte par mon travail de traducteur, et il se chargeait du reste.

Nous arrivions en face de chez lui, rue des Remparts, et j'en étais toujours à me demander avec inquiétude s'il parlait sérieusement et pour quelle raison il m'offrait ce voyage. Souhaitait-il vraiment que je me détache de ma petite sœur? Voulait-il que je contracte une dette envers lui et que je me sente obligé de lui donner la *petite poussée* à laquelle il avait fait allusion, un soir, au restaurant italien de la rue Sainte-Angèle?

Tout cela me trottait dans la tête. J'avais de quoi réfléchir. Je lui jetai un regard de côté pour essayer d'avoir un début de réponse, mais ses pensées flottaient bien au-dessus de mes soucis terrestres: il avait encore une fois les yeux levés vers la fenêtre de Gabrielle.

11

UN CHAT SUR LA TÊTE

Les amis de Jack, à Paris, habitaient un trois pièces dans une rue piétonne du XIIᵉ arrondissement, la rue Villa Saint-Mandé.

Il m'avait dit que l'endroit était paisible. C'était vrai : le bruit des autos, sur les boulevards environnants, se réduisait à un lointain bourdonnement, mais il avait oublié de dire que l'appartement était trop petit pour trois personnes. Je dormais sur le canapé du salon. Il me fallait attendre, pour me mettre au lit, qu'ils aient fini de regarder la télé ; ils aimaient beaucoup les émissions de fin de soirée, surtout celles où des auteurs réunis autour d'une table parlaient de leurs livres. Pourtant, ils n'avaient même pas demandé si Jack écrivait toujours et si ses livres avaient du succès. Ils croyaient peut-être, comme bien des gens, que ce qu'ils voyaient à la télé était plus important que les choses de la vraie vie.

Le matin, je me levais en même temps qu'eux, pour les déranger le moins possible. Même s'ils étaient tous les deux retraités, ils se levaient à sept heures précises : c'était à cette heure matinale que, à l'étage du dessus, se mettait bruyamment en marche le radio-réveil d'une dame âgée et un peu sourde qui écoutait les premières informations de la journée. Après les biscottes et le café au lait du petit déjeuner, je prenais quelques affaires et je me rendais à la bibliothèque du quartier. Installé au troisième étage, où il y avait de longues tables et toutes sortes de dictionnaires et d'encyclopédies, je commençais la journée en m'acquittant de ma tâche de traducteur, ce qui me permettait de flâner ensuite jusqu'au soir en toute liberté d'esprit.

Je visitai d'abord le quartier. Ce qui m'étonna le plus, à part le grand nombre de vieilles personnes, très souvent précédées d'un chien tirant sur sa laisse, c'est qu'il y avait, à quelques pas seulement de mon immeuble, tous les services imaginables : autobus, métro, poste, librairie, coiffeur, pharmacie, boulangerie, cordonnerie, bistrot, journaux, banque, alimentation, médecins, hôpital... Après quelques jours, j'allais m'apercevoir que, derrière ce foisonnement d'activités, une autre vie se cachait, une vie tranquille et originale qui se trouvait au fond des cours, dans les jardins, au bout des passages et des ruelles.

Mais je n'en étais pas là. Je me contentais pour l'instant de découvrir, comme tout le monde, les squares, les monuments, les plaques commémoratives, ainsi que les comportements et les habitudes qui composaient la vie quotidienne des gens. Ce qui ne m'empêchait pas d'avoir quelques petites aventures. Un jour, par exemple, comme je passais vers midi devant un bistrot, en haut de la rue du Rendez-Vous, je reçus un coup très violent sur la tête; mes genoux fléchirent et je vis des étoiles comme dans les bandes dessinées. D'abord je crus qu'un pot de fleurs tombé d'un balcon avait atterri sur mon crâne. Je regardai autour de moi : il n'y avait aucun débris sur le trottoir. Je ne vis rien d'autre qu'un chat roux. La porte du bistrot était ouverte : le chat se faufila à l'intérieur, en rampant presque, et se blottit sous une table dans un coin.

J'entrai à mon tour.

Du côté droit s'étendait un comptoir en demi-lune, derrière lequel un barman essuyait de la vaisselle. Il n'avait apparemment rien vu de ce qui s'était passé.

— Monsieur ? fit-il.

— Je viens de recevoir un chat sur la tête, déclarai-je.

Aussitôt, je me rendis compte que, sous le coup de l'émotion, j'avais marmonné quelque chose d'incompréhensible. En plus, comme j'avais fait le geste de pointer du doigt le dessus de ma tête, je devais ressembler à un des personnages Dupont et Dupond.

— Pardon? fit poliment le barman.

Un couple d'amoureux était attablé dans la salle. Accoudé au comptoir, un homme âgé lisait *L'Équipe*.

— Je passais devant le bistrot et un chat m'est tombé sur la tête, expliquai-je en ayant soin de prononcer toutes les syllabes.

— Ah oui? Sur la tête? reprit le barman. Il se retourna pour regarder la grosse horloge du bar. De toute évidence, il pensait que j'avais trop bu et qu'un tel spectacle, si tôt dans la journée, était triste à voir. Mais l'homme âgé intervint:

— J'ai vu entrer un chat, confirma-t-il. Tenez, il est là-bas sous la table!

Le barman se pencha au-dessus du comptoir, et les deux amoureux tournèrent la tête pour regarder dans la direction indiquée par le lecteur de *L'Équipe*. Le chat roux était resté blotti sous la table du fond, le poil raide, les yeux exorbités: il était plutôt jeune et paralysé par la peur.

— Mais... c'est le chat du coiffeur! s'écria le barman.

— Tu as raison, dit l'homme âgé. Oh là là! Il est tombé du troisième! Il faut prévenir monsieur Antoine!

— Je l'appelle, dit le barman. Il composa un numéro sur le téléphone du bar et, pendant qu'à l'autre bout du fil on s'occupait de prévenir l'intéressé, les clients multiplièrent les commentaires, à grand renfort de « Oh là là! » Je compris que monsieur Antoine, le locataire du troisième, tenait un salon de coiffure dans une rue adjacente et que son chat avait la dangereuse habitude de dormir au milieu des pots de fleurs et des arbustes qui ornaient le balcon en fer forgé.

Le coiffeur entra en trombe dans le bistrot et me serra avec ferveur dans ses bras. Grand et costaud, il avait ce qu'il est convenu d'appeler une «tête léonine». J'étais impressionné. Sa blouse noire, sur laquelle des cheveux blonds étaient encore accrochés, témoignait qu'il avait quitté son travail en toute hâte.

— Mais j'y pense, vous n'êtes pas blessé, au moins? Comment vous sentez-vous? s'informa-t-il en reculant d'un pas.

— Très bien, merci, dis-je.

— Vous ne voulez pas qu'on vous conduise à l'hôpital?

— Non, c'est pas nécessaire.

Une demi-douzaine de personnes étaient entrées dans le bistrot, et tout le monde, subitement inquiet, m'interrogeait des yeux. Alors ma timidité me porta comme d'habitude à exagérer. Je déclarai que je ne m'étais jamais senti aussi bien de toute ma vie; que le coup sur mon crâne avait probablement réveillé la moitié de mon cerveau qui fonctionnait au ralenti; que nous, les Québécois, habitués à résister au froid, aux Anglais, aux Iroquois et aux bêtes sauvages de nos immenses forêts, nous avions la tête dure et qu'il fallait davantage qu'un chat sur la caboche pour nous jeter par terre...

— Ah! Vous êtes Canadien! s'écria monsieur Antoine.

— Oui, dis-je.

«Canadien» n'était pas le mot que je préférais, mais étant moi-même lancé dans une tirade dépourvue de toute nuance, je ne pouvais pas exiger de lui une plus grande subtilité.

— Et mon chat, où est-il? demanda-t-il brusquement.

— Sous la table du fond, dit le barman.

Monsieur Antoine s'approcha de la table, mit un genou en terre et parla au chat d'une petite voix chantante qui contrastait avec son physique imposant. Le chat refusa de bouger, encore sous le choc ou déconcerté par son nouvel environnement, mais il se laissa faire quand son maître allongea la main pour le tâter et le caresser.

— Il n'est pas blessé. Il est effrayé, voilà tout.

— Tant mieux! dis-je.

— Vous lui avez sauvé la vie. Ça s'arrose!

Rassuré sur l'état de santé de son chat, il m'entraîna au bar et m'offrit l'apéro. Au troisième verre de pastis, il devint très bavard et raconta qu'il venait de la région de Caen, en Normandie, et que ses grands-parents avaient acclamé les «Canadiens» qui avaient pris part au débarquement des Alliés. Il me tira par le bras pour me faire voir une carte de France affichée au mur, près des toilettes. Réchauffé par le pastis, j'affirmai que le hasard faisait bien les choses, car mon propre grand-père avait fait partie des troupes canadiennes qui avaient débarqué sur la côte normande; son groupe s'appelait le Régiment de la Chaudière et mon grand-père avait le grade de lieutenant-colonel.

Il était estomaqué.

Je déclarai d'une seule traite que mon grand-père et les hommes de son régiment avaient pris pied sur la plage de Bernières-sur-Mer, le 6 juin 1944, et qu'ils avaient ensuite capturé les villages de Bény-sur-Mer, Basly et Colomby-sur-Thaon.

Les gens du bistrot étaient complètement sidérés.

J'étais bien parti pour être le plus grand menteur du XIIe arrondissement.

12

UN ADIEU DANS LE MÉTRO

Je venais d'arriver sur le quai de la station Picpus, lorsque la rame de métro, annoncée par un grondement sourd et des lueurs jaunes sur les murs, émergea du tunnel et s'immobilisa dans un bruit de ferraille. Le wagon arrêté en face de moi était plein de monde, alors je me dirigeai vers le suivant. Il était bondé lui aussi et je fus obligé de rester debout. Pour me reposer et amortir les secousses du wagon bringuebalant, je m'appuyai le dos à l'un des poteaux de métal auxquels on pouvait se retenir durant les trajets.

Ce jour-là, il tombait une pluie fine et obstinée sur Paris. Il y avait eu plusieurs journées de temps gris ou pluvieux depuis mon arrivée. Je ne pouvais en tenir rigueur à la vieille ville, car la grisaille du ciel était compensée par le feuillage déjà vert des marronniers et des platanes et par les couleurs vives des auvents, des devantures de boutiques et des fleurs dans les parterres.

La pluie m'avait donné le goût d'une promenade en métro. J'avais décidé de prendre la ligne 6 jusqu'à l'Arc de Triomphe, puis la ligne 2 pour revenir dans mon quartier : ces deux lignes mises bout à bout permettaient, avec leurs sections aériennes, de faire une large tournée en ville.

De l'endroit où je me trouvais, je pouvais voir un homme et une femme qui s'enlaçaient. Au début, mal à l'aise, j'observais leur reflet intermittent dans une vitre du métro, puis ayant constaté qu'ils

étaient dans un monde où rien ne pouvait les déranger, je me mis à les regarder directement.

Ils avaient une trentaine d'années. Indifférents
à leurs voisins, ils se tenaient les mains, se
caressaient des yeux, se bécotaient. Par moments,
l'homme interrompait ses gestes pour raconter
quelque chose à son amie. Je n'entendais pas les
mots, mais j'étais étonné de voir la lumière qui
éclairait le visage de la femme : c'était une lumière
douce et chaude comme du miel.

Le métro traversa la Seine, et lorsque nous arrivâmes à la station Quai-de-la-Gare, les amoureux
se serrèrent vivement l'un contre l'autre. L'homme
murmura encore quelques mots à l'oreille de sa
compagne, puis attrapant une mallette en cuir que
je n'avais pas remarquée, il se leva et descendit du
wagon.

La femme ne le quitta pas un instant des yeux et
je tournai moi-même la tête pour l'observer. Il fit
quelques pas sur le quai, au milieu des gens, puis
il se retourna. C'était un grand brun aux cheveux
frisés, au visage épanoui. Sa mallette à la main, il
fit des signes d'adieu à son amie qui, assise à la
même place, continuait de le regarder par la fenêtre
du wagon. Elle souriait et on voyait toujours cette
lumière douce qui coulait sur son visage.

La rame de métro s'ébranla. Après un dernier
coup d'œil vers le quai désert, la femme se mit
à regarder vaguement devant elle. Je fus soulagé
de voir que, malgré tout, elle n'avait pas l'air
malheureuse. Elle avait encore un demi-sourire et
je compris qu'elle n'était pas seule pour l'instant :
l'affection de son ami lui tenait compagnie. Mais la
lumière, sur son visage, commençait à s'estomper.

Cette lumière était la trace de l'homme, c'était
tout ce qui restait de lui. Alors, sans que je sache
pourquoi, cette trace insignifiante en elle-même
devint pour moi très précieuse.

À la station suivante, la trace lumineuse
s'amenuisa encore. Un peu plus loin, à la station

Glacière, la femme se leva et, au moment où elle descendit pour se perdre dans la foule, je vis cette fois que son visage était fermé et dénué de toute lumière comme celui des autres passagers.

Si banal qu'il fût, cet incident m'impressionna fortement. Il occupait encore mon esprit lorsque le métro, après un long parcours sous terre, emprunta le pont Bir-Hakeim pour retraverser le fleuve. Au milieu du pont, je distinguai, à travers le rideau de pluie, une réplique de la Statue de la Liberté qui me rappela un film à suspense où Harrison Ford tentait désespérément de retrouver sa femme enlevée par des espions russes. Plus loin, le métro replongea dans les entrailles de la ville. Quand il revint à l'air libre, je pus voir des endroits que j'avais visités autrefois et qui portaient des noms aussi connus que Pigalle, La Chapelle, Belleville, Ménilmontant. Dans certains secteurs, toutefois, une multitude de gens vêtus de djellabas aux couleurs vives se frayaient un chemin parmi des étalages qui débordaient sur les trottoirs, et rien de cela ne ressemblait aux images que j'avais gardées en mémoire.

Quand le métro me déposa à Nation, dans mon quartier, la pluie avait diminué, mais non la profonde tristesse que j'avais ressentie en voyant la lumière décliner sur le visage de l'inconnue. Après avoir acheté des provisions au marché Casino, je rentrai chez moi. Je n'habitais plus chez les amis de Jack. Peu à peu, j'avais compris que, même en observant un horaire très strict pour mes départs et mes retours, en téléphonant au moindre retard, en contribuant au budget, en évitant de laisser traîner mes affaires, bref en me faisant aussi petit que possible, je dérangeais beaucoup. Ils avaient leurs habitudes, leurs manies, et aucune place n'avait été prévue pour moi dans cette existence bien réglée. J'avais fini par m'en aller, et depuis lors je vivais dans un minibus Volkswagen.

L'idée incongrue de m'installer dans un véhicule, à Paris, pour continuer ma visite de la ville, m'avait été imposée par les circonstances. Quand j'avais annoncé à mes hôtes, un matin au petit déjeuner, que le moment était venu pour moi de partir, ils avaient pensé à Jack. Ils s'étaient rappelé que, dans le temps, celui-ci les avait quittés pour entreprendre une grande tournée en France et en Europe et qu'ils lui avaient donné un coup de main en dénichant un camping-car d'occasion dans les petites annonces d'une revue. Comment s'appelait-elle, déjà, cette revue qui paraissait toutes les semaines? Pendant qu'ils fouillaient dans leurs souvenirs, je m'étais entendu déclarer que ce genre de voyage était justement ce que j'avais en tête. Au lieu de suivre le conseil d'Épictète qui disait: «Si tu te trouves isolé parmi des étrangers, garde le silence», j'avais affirmé que je me réjouissais d'avance à l'idée de parcourir les régions de France, si belles et si variées, au volant d'un minibus qui me servirait en même temps de logement et que j'aurais le loisir de revendre avant de rentrer au Québec.

Entre deux biscottes, les amis de Jack avaient brusquement retrouvé la mémoire: la revue s'appelait *La Centrale des particuliers*. Et alors, sans vider leur bol de café au lait, comme s'il y avait urgence, ils étaient sortis dans la rue avec moi et m'avaient accompagné jusqu'au kiosque de journaux installé sur la petite place, au début du boulevard de Picpus. En me présentant à la vendeuse, ils lui avaient expliqué d'où je venais et ce que voulais, et ils avaient payé eux-mêmes la revue. J'avais de la chance: *La Centrale* paraissait le jeudi et nous étions justement ce jour-là!

Un habitant de Créteil, en proche banlieue, offrait pour 1 500 euros un minibus surélevé, muni d'un équipement de camping, dont la carrosserie était cependant «à revoir». Sur place, ma première impression avait été mauvaise: l'arrière du Volks avait sûrement été embouti, car la tôle était cabossée et rouillée, et le panneau du moteur ne fermait plus.

Contre toute logique, j'avais néanmoins décidé de l'acheter, après un bref essai sur la route. Les amis de Jack m'avaient avancé l'argent.

L'aménagement intérieur, bien qu'artisanal, me plaisait beaucoup. Grâce au toit rehaussé, je pouvais me tenir debout dans l'espace compris entre le coin-cuisine et la banquette. D'après Jack, la position debout était celle qui convenait le mieux au traducteur, qui doit constamment se déplacer pour consulter les dictionnaires et ouvrages de référence étalés autour de lui.

C'est donc vers le minibus Volkswagen que je me dirigeais, ce soir-là, après avoir passé une partie de la journée à regarder, depuis le métro aérien, le ciel pluvieux qui déversait toutes les nuances du gris sur les murs, les vêtements et les visages. Le Volks était garé sur le boulevard de Picpus, non loin du square Courteline, presque en face de l'hôtel du Printemps.

Le choix de cet endroit n'était pas le fruit d'une longue recherche. J'avais roulé au hasard dans le quartier, évitant les sens interdits, me méfiant de la priorité à droite, puis j'avais vu cette place de stationnement qui venait de se libérer et je m'étais arrêté un moment pour réfléchir. Finalement, j'étais resté là, n'ayant pas le courage d'aller voir ailleurs. Le Volks était abrité sous les arbres et à demi dissimulé par des camionnettes de livraison; à gauche, il y avait un jardin fleuri et un parc de jeux pour enfants; et puis j'aimais bien l'hôtel du Printemps, car en jetant un coup d'œil indiscret dans le hall, j'avais aperçu un faux foyer de bûches rougeoyantes, fonctionnant à l'électricité, qui ressemblait à celui qui se trouvait dans le salon de mes parents quand j'étais tout petit.

En arrivant à mon nouveau domicile, peint en vert et beige, je fus soulagé de voir que, même si je ne le déplaçais presque jamais, il n'y avait pas de contravention sur le pare-brise. Je montai à bord en évitant de claquer la portière. Mon sac de provisions contenait une boîte de soupe au potiron, un sachet de purée Mousline en flocons, une barquette de thon à l'huile d'olive et des tomates; pas de chance, j'avais oublié le dessert.

Je bus un peu de muscat pour réchauffer mes os transis par l'air humide, puis j'allumai le gaz et mis la soupe à chauffer. La flamme bleutée du réchaud me fit songer à la traînée de lumière que j'avais vu s'éteindre peu à peu sur le visage de la jeune femme du métro, et soudain je pris conscience que, pendant toute cette journée de pluie, sans me l'avouer, je m'étais ennuyé de ma petite sœur, Mistassini, et de ce qui brillait dans ses yeux bleus.

13

À LA RECHERCHE DE SHAKESPEARE
AND COMPANY

Il faisait beau depuis quelques jours et j'étais
content de ne plus être soumis aux usages et aux
règles non écrites des amis de Jack.

Chaque matin, pour fêter mon indépendance
nouvelle, j'allais acheter deux croissants à la
boulangerie située au coin de la rue Marsoulan,
et je me préparais un vrai jus d'orange. Avant de
me mettre à mes traductions, je prenais souvent
le temps d'écrire à Miss pour lui raconter ce qui
m'était arrivé la veille.

Le bureau de poste était juste à côté, sur le
boulevard de Picpus, et un jour que je m'y rendais
pour expédier une lettre, j'eus la chance de rencontrer la factrice, qui commençait sa tournée
dans le quartier. Elle s'appelait Françoise. Je l'avais
connue chez les amis de Jack, où elle distribuait
le courrier dans les boîtes aux lettres placées au
pied de l'escalier; nous avions sympathisé, car
elle rêvait d'un séjour dans les «grands espaces»
du Québec. Je fis quelques pas avec elle sur le
boulevard, et lorsque je lui montrai où j'habitais
maintenant, elle me promit de m'apporter mon
courrier aussi souvent que possible.

J'avais donc le cœur léger quand je pris le bus
86 afin de me rendre au 74, rue du Cardinal-
Lemoine, dans le Ve. D'après son livre de souvenirs, *Paris est une fête,* Hemingway avait vécu à
cette adresse. C'était une sorte de pèlerinage que

je voulais accomplir, au nom de Jack mais aussi pour moi-même : le vieux Jack aimait Hemingway à cause de son écriture, qu'il trouvait «forte et ramassée comme dans un poing fermé», alors que moi, qui ne connaissais rien ou presque dans ce domaine et qui avais tendance à mentir, je l'aimais plutôt à cause de l'honnêteté qu'il mettait dans son travail.

Après avoir franchi la Seine par le pont Sully, dont un pilier reposait sur le bout de l'île Saint-Louis, le bus me laissa au coin de la rue des Écoles. Je commençai à monter la rue du Cardinal-Lemoine assez lentement, parce que, même si la pente n'était pas très raide, j'avais comme une fatigue dans les jambes et la gorge serrée. Au numéro 74, une plaque apposée sur le mur de l'immeuble, au-dessus d'une porte fraîchement peinte en bleu, donnait les renseignements suivants :

> *De janvier 22 à août 23 a vécu,*
> *au troisième étage de cet immeuble,*
> *avec Hadley, son épouse, l'écrivain américain*
> *Ernest HEMINGWAY*
> *1899-1961*
> *Le quartier (...) fut le véritable lieu de*
> *naissance de son œuvre et du style dépouillé*
> *qui la caractérise.*

Un groupe de touristes me mit en fuite. Un peu plus loin, je débouchai sur la place de la Contrescarpe. Je m'assis à la première terrasse et commandai un «crème» en faisant bien sonner la dernière syllabe, pour que le garçon ne me demande pas de répéter le mot. La Contrescarpe était une très jolie place aux dimensions modestes, égayée par des auvents d'un rouge clair, et je savais qu'elle avait été décrite par Hemingway dans *Paris est une fête*. Le livre se trouvait dans mon petit sac à dos, avec un paquet de biscuits fourrés à l'orange et une demi-bouteille d'eau minérale, mais une voix me disait qu'il valait mieux ne pas faire de comparaison entre le texte et la réalité. L'image de Jack, tout à coup, se superposa à celle d'Hemingway. L'idée de la «petite poussée» se rappela à mon souvenir; je la chassai de mon esprit.

Ayant payé mon café, je retournai voir l'immeuble où Hemingway avait vécu dans sa jeunesse. Il y avait quatre fenêtres au troisième étage, toutes fermées, toutes pareilles, et même en me plaçant sur le trottoir d'en face pour les examiner, je ne pus deviner laquelle correspondait à l'appartement de l'écrivain.

Comment faire pour le savoir? Si elle avait été là, Miss n'aurait pas hésité une seconde, alors je me décidai à entrer et à sonner chez le concierge. J'avançai jusqu'à la porte bleue et... il y avait un digicode! Très déçu, ne sachant plus que faire, je m'éloignais déjà quand arriva une femme assez corpulente, aux cheveux teints en blond, portant un sac à main et traînant un petit chariot en toile dont le couvercle laissait dépasser une baguette de pain.

Elle ne m'avait pas vu.

— Pardon, madame, je peux entrer avec vous? demandai-je dans son dos. La femme tressaillit et se retourna. Elle serrait son sac à main sur son cœur.

— Pour quelle raison, s'il vous plaît? Vous n'avez pas le code?

— Je n'habite pas ici.

— Vous venez voir quelqu'un?

Elle m'examina des pieds à la tête. Je la regardai à mon tour, mais plus discrètement. Ses cheveux n'étaient pas blonds, mais blancs et légèrement teintés de rose. Elle avait l'air distingué, une diction impeccable, un sourire doux et fatigué.

— Non, je viens pour l'appartement, dis-je.

— À ma connaissance, il n'y a pas d'appartement à louer...

— Je voulais dire, l'appartement d'Hemingway... J'aimerais savoir exactement où il habitait.

— Au troisième.

— Oui, mais quelle fenêtre?

La femme avait levé la main pour faire le code. Elle suspendit son geste, me regardant avec ce qui me sembla être de la compassion, et j'eus le sentiment d'être âgé de quinze ans au maximum.

— Chu-u-ut! fit-elle. C'est un secret!

— Comment ça?

— Tous les locataires du troisième sont des écrivains. Des écrivains très jeunes, encore inconnus. Mais ils sont tous persuadés qu'ils occupent l'appartement de votre Hemingway. Cela les stimule, alors il ne faut pas les détromper, n'est-ce pas, jeune homme?

Sans attendre la réponse, elle tapa un numéro que je n'eus pas le temps de noter, et très vite, soulevant son chariot, elle poussa la porte qui se referma aussitôt. Interdit, les bras ballants, je restai tout seul sur le trottoir, avec les mots de la femme qui résonnaient dans ma tête. Après un moment, je reconnus qu'elle avait raison et je commençai à redescendre la rue.

En marchant, je sortis le livre d'Hemingway de mon sac à dos. Je voulais retrouver le trajet qu'il effectuait lorsque, son travail terminé, il se laissait glisser, au hasard des rues en pente, vers le quartier latin ou les quais de la Seine. C'était assez simple: il prenait une rue transversale qui le conduisait à la «place venteuse» du Panthéon et, un peu plus loin, il traversait le jardin du Luxembourg, dont le musée exposait en ce temps-là des tableaux impressionnistes, puis il se rendait à la librairie Shakespeare and Company, située au 12, rue de l'Odéon, où il avait des chances de rencontrer, en fin d'après-midi, le célèbre James Joyce.

Je n'eus pas de mal à trouver la rue de l'Odéon. Au numéro 12, toutefois, il n'y avait pas de librairie: c'était une boutique de vêtements importés de Chine. Je regardai dans le livre pour voir si je ne m'étais pas trompé de numéro... mais non, j'étais au bon endroit.

Un coup d'œil par la fenêtre de la boutique, et j'entrai.

L'unique pièce, carrée et de faibles dimensions, était encombrée de longs portemanteaux où étaient suspendus des robes, des tuniques et des pantalons chinois. Et dans un coin, derrière une table mise en diagonale, était assise une Chinoise qui avait certainement l'âge d'être grand-mère.

Elle m'adressa un sourire encourageant. Je m'approchai, un peu intimidé par le fait que tous les vêtements accrochés aux portemanteaux étaient féminins. Quand je lui dis bonjour, elle me répondit quelque chose qui ressemblait à *ni-hao*. Elle était vraiment très âgée, avec des plis en étoile au coin des yeux et autour de la bouche. Il n'allait pas être facile de lui expliquer le but de ma visite.

Pour lui faire comprendre que je cherchais une librairie, je dessinai des rayonnages imaginaires sur le mur le plus rapproché, puis je fis le geste de prendre des volumes sur une étagère. Le sourire de la Chinoise s'élargit et de nouvelles étoiles apparurent sur son visage, mais il était clair qu'elle ne comprenait pas ce que je faisais. Alors je lui montrai le livre d'Hemingway en tenant mon index posé sur le nom de l'auteur. Elle plissa les yeux et regarda la couverture où l'on voyait un homme avec une cigarette aux lèvres, les cheveux gominés, vêtu pour aller au bal musette. Ensuite, les yeux presque fermés, elle examina le nom que je lui montrais du doigt. Son visage demeura impassible : elle ne connaissait pas Hemingway, ou bien elle ne savait lire que les caractères chinois.

À court d'idées, je pris congé de la grand-mère et me retrouvai dans la rue. Elle m'avait reconduit à la porte en me disant quelque chose qui sonnait comme *tsaï-djien*, et j'étais en train de jeter un dernier coup d'œil à l'immeuble, quand soudain j'aperçus, au premier étage, une plaque si petite que je ne l'avais pas vue en arrivant. Elle se lisait ainsi :

EN 1922
DANS CETTE MAISON
Mlle SYLVIA BEACH PUBLIA
«ULYSSES»
DE JAMES JOYCE

Je ne m'étais pas trompé d'adresse, mais c'était une bien maigre consolation. Qu'était devenue la librairie Shakespeare and Company avec son grand poêle qui réchauffait auteurs et lecteurs durant les mois d'hiver? Où était allée Sylvia Beach, la propriétaire, qui avait «un visage animé, aux traits aigus, des yeux bruns aussi vifs que ceux d'un petit animal et aussi pétillants que ceux d'une jeune fille»? Tout en dirigeant mes pas vers la Seine, pour aller me promener un peu sur les quais, je songeais à la chaleur qui avait régné dans cette librairie, imprégnant les livres anciens ou récents, réparant les cœurs brisés, donnant de l'espoir aux auteurs débutants, et je me disais que toute cette chaleur, humaine ou artificielle, ne pouvait avoir disparu sans laisser de traces.

Après avoir traversé la place Saint-Michel, où les touristes et les flics étaient trop nombreux, je me mis à suivre les quais vers l'est, m'arrêtant ici et là pour examiner les livres et les affiches dans les boîtes vert foncé des bouquinistes, ou encore pour admirer, au-delà des eaux jaunes et gonflées du fleuve, l'imposante silhouette de Notre-Dame bien appuyée sur ses arcs-boutants.

Au moment où, de l'autre côté de la rue du Petit-Pont, je m'engageais dans un escalier de pierre pour descendre sur les berges de la Seine, j'eus un coup au cœur en apercevant, sur ma droite, en retrait et en contrebas de la rue, une large enseigne où se détachaient en lettres noires sur fond jaune pâle les mots que je n'espérais plus revoir : Shakespeare and Company.

La librairie avait déménagé au 37, rue de la Bûcherie. La façade et l'intérieur étaient illuminés et, comme Jack me l'avait dit, la lumière semblait venir des livres eux-mêmes. En m'approchant, je vis que ceux-ci débordaient à l'extérieur, dans des boîtes et sur des étagères. J'aperçus par la vitrine une salle avec des tables basses, des livres qui montaient jusqu'au plafond, des solives au vernis foncé, un lustre à plusieurs branches : c'était calme et reposant pour les yeux. Et à l'intérieur, mon plaisir augmenta encore : il y avait une enfilade de couloirs étroits avec des volumes empilés dans tous les coins, même autour d'un vieux lavabo, et je respirais partout une odeur de papier vieilli.

C'était un îlot de silence, de chaleur et de mémoire. La nuit tombait lorsque je quittai cet endroit, à l'invitation d'un homme aux cheveux blancs et au visage parcheminé dont je n'avais pas remarqué la présence, car son costume avait la couleur fanée des livres qui sont restés trop longtemps sur les étagères. Il s'inquiéta de savoir si j'avais trouvé ce que je cherchais, et je répondis par l'affirmative. J'avais trouvé, au centre de Paris, en face de Notre-Dame, un reste de cette chaleur humaine qui avait réchauffé le cœur des jeunes écrivains venus d'Amérique, comme Hemingway, Scott Fitzgerald et les autres membres de la génération perdue.

14

LE BOIS DE VINCENNES

Assis dans mon Volks, sur le boulevard de Picpus, je n'avais qu'à lever la tête pour apercevoir, juché à trente mètres de hauteur sur l'une des deux colonnes de pierre encadrant l'avenue du Trône, près de la Nation, le roi Philippe Auguste qui regardait dans ma direction. C'était rassurant de savoir que je me trouvais sous la protection d'un roi de France, et pourtant je songeais à quitter cet endroit.

Ce n'est pas que le quartier me déplaisait. Par exemple, j'étais toujours heureux de recevoir le courrier que Françoise glissait par le haut de la fenêtre du passager, que je laissais ouverte de quelques centimètres à la façon d'une boîte aux lettres. Un matin, j'avais reçu une enveloppe coussinée qui venait de Jack : son écriture, très irrégulière, était facilement reconnaissable. L'enveloppe contenait un recueil de nouvelles de Raymond Carver, *Les trois roses jaunes*. Il n'y avait rien d'autre, même pas un mot d'explication. C'était la troisième fois, me semblait-il, que Jack intervenait dans mes lectures, et j'étais presque certain que, pour chaque livre, il avait une idée précise en tête. Pour Carver, que j'avais lu avec grand plaisir, c'était évidemment l'extrême sobriété de l'écriture ; pour Salinger, c'était sans doute le ton ; et pour Stevenson, la vie.

Chaque jour, avant d'entreprendre mon travail de traducteur, avec des bouchons d'oreille pour éviter les distractions, je guettais le passage d'une autre personne que j'aimais bien : un employé municipal en combinaison vert fluorescent dont la tâche consistait à pousser des détritus dans l'eau du caniveau avec un balai à brindilles ; en battant l'eau, son balai faisait un bruit rythmé qui me rappelait celui des vagues au bord de la mer.

Je commençais à connaître les habitants du quartier. Si je voyais surgir, au coin d'une rue, un chien tirant sur sa laisse de cuir, je pouvais deviner à coup sûr quelle petite vieille allait bientôt apparaître à l'autre bout de cette laisse... En face du Volks, un soir où j'étais plus téméraire que d'habitude, j'avais poussé la porte de l'hôtel du Printemps et j'avais si bien réussi à émouvoir le propriétaire, en lui racontant mon histoire, qu'il m'avait donné l'autorisation de prendre une douche par semaine dans son établissement... Dans une rue voisine, j'avais fait la connaissance d'une libraire, et au bout de quelques visites seulement, devinant que j'étais pauvre, elle m'avait invité à emporter des livres pour les examiner de plus près chez moi ; elle s'appelait Marianne, elle était une sorte de compromis entre Jack et ma petite sœur, et ses yeux étaient du même bleu que ceux de Mistassini : un bleu si vif que j'avais toujours envie de lui demander s'ils brillaient la nuit comme ceux des chats.

Il y avait aussi, sur le boulevard de Picpus, non pas dans la chaussée où le Volks était garé, mais dans celle qui allait en sens inverse, une femme sans âge qui tenait un magasin d'antiquités et que, très impoliment, j'avais surnommé «la Momie». Je la voyais un peu avant midi, en allant acheter *L'Équipe*. Elle prenait le frais, debout à l'entrée de sa boutique, une main accrochée au cadre de la porte, et elle me saluait d'un signe de tête et d'un mot gentil. Ses cheveux bouclés avaient une couleur indéfinissable, entre gris et rose, comme la lumière sur les façades ravalées des immeubles

anciens, et cette couleur s'étendait à son imper-
méable fripé et même aux bandes élastiques qui
enveloppaient ses jambes sans doute couvertes
de varices. La nuit, une ou deux lampes restaient
allumées dans son magasin, et lorsque je rentrais
tard, il me semblait apercevoir la femme sans âge
assise dans un fauteuil de velours, toute droite
et immobile, figée pour l'éternité au milieu des
buffets, des récamiers, des tables gigognes, des
carafes, des porcelaines et des lithographies.

Encore une petite chose qui me plaisait : dans les
moments de calme, j'avais quelquefois la chance
d'entendre, venant d'une ruelle voisine, une voix
de crieur public, un peu rauque et haut perchée,
qui semblait annoncer un métier ambulant mais
en des termes que je n'arrivais pas à saisir. En
m'approchant, un beau jour, j'avais vu un homme
poussant une charrette équipée de diverses meules
à aiguiser ; il criait : «Rémouleur ! couteaux, ciseaux»
mais avec le temps, je suppose, les mots s'étaient
ébréchés comme les outils qu'il réparait.

Je trouvais sans cesse autour de moi des raisons
de me réjouir. Pourtant, il fallait bien que je me
rende à l'évidence : le bruit des voitures était in-
supportable. S'il n'était pas très large, le boulevard
comprenait deux chaussées, et le flot de la circulation, qui s'intensifiait à partir de sept heures trente
du matin, était rendu encore plus bruyant par le
passage d'une ligne d'autobus reliant le château de
Vincennes à la Porte de Clignancourt.

Les bouchons d'oreille que je mettais pour travailler étaient des boules Quies, ou encore des
bouchons en mousse gonflable, plus efficaces mais
qui irritaient le canal auditif. La nuit, toutefois, rien
ne pouvait me protéger contre le rugissement des
grosses motos qui fonçaient vers le boulevard périphérique.

Un matin, agacé d'avoir mal dormi, je décidai de
partir à la recherche d'un endroit plus tranquille.
Après avoir étudié le plan du XIIe, je compris qu'il

fallait aller au bois de Vincennes : c'était tout près, pourquoi n'y avais-je pas songé plus tôt ?

Installant le plan à portée de la main, sur le siège du passager, je fis démarrer le Volks ; heureusement, le moteur tournait rond et les freins n'étaient pas grippés. Mis en confiance, j'empruntai le cours de Vincennes, enjambai le périphérique, obliquai à droite et je me retrouvai bientôt dans la rue Chaussée-de-l'Étang, une sorte de chemin de ceinture qui virait à gauche en suivant la lisière du bois.

Je roulais lentement, car autour de moi tout était beau. Il y avait, d'un côté, des immeubles anciens sagement alignés derrière de lourds portails en métal noir et, de l'autre, des grands arbres feuillus entre lesquels surgissaient, dans des clairières ensoleillées, un manège, des terrains de pétanque, un théâtre de marionnettes. Une centaine de mètres plus loin, le talus s'affaissait tout à coup, formant une large cuvette de verdure au milieu de laquelle j'aperçus un lac. À ma droite s'ouvrait une rue transversale ; elle était à contresens, alors j'y entrai en marche arrière et garai le Volks à la première place que je trouvai.

De là, j'avais une vue sur les arbres et sur le lac en contrebas : d'après mon plan, c'était le lac de Saint-Mandé. Je descendis du camion pour examiner les alentours. Ayant traversé le chemin de ceinture par lequel j'étais arrivé, je m'arrêtai un instant en haut d'un escalier qui menait vers le lac. J'étais étonné de la grosseur et de la diversité des arbres. Il y avait des marronniers, des platanes, des acacias, des chênes, plusieurs espèces de peupliers et un cyprès chauve que je pris d'abord pour un cèdre.

L'escalier me conduisit au bord du lac et je vis, au milieu de celui-ci, un îlot planté de fleurs, de bosquets, d'arbres et notamment de saules qui courbaient la tête, laissant traîner leur longue chevelure feuillue dans l'eau.

Le lac était vraiment tout petit, j'en fis le tour en cinq minutes par un chemin de terre. Il n'avait rien à voir avec les lacs de mon pays. Rien à voir avec celui, pourtant modeste, où nous allions pêcher la truite, ma sœur et moi, quand nous étions petits. Rien à voir avec les lacs Mégantic et Memphrémagog, plus vastes, que la Buick familiale contournait en ronronnant sur la route de nos vacances américaines. Rien à voir non plus avec ceux qui se trouvaient plus au nord, presque au bout des chemins, et dont les noms chantaient comme le vent dans la tête des épinettes : les lacs Waswanipi, Matagami, Péribonka, Chibougamau. Et absolument rien à voir avec les véritables Grands Lacs, dont il était impossible d'apercevoir l'autre rive, même par une froide et pure lumière d'automne, ni avec les innombrables lacs qui constellaient la carte du Nouveau-Québec, au nord de la baie d'Hudson, dans les territoires réservés aux Indiens et aux Inuits, où les Blancs ne pouvaient se rendre que par hydravion.

Au moment où j'allais remonter l'escalier, le mal du pays me tomba dessus. Pour éviter de céder à la nostalgie, je fis l'effort de regarder plus objectivement le lac de Saint-Mandé et les alentours. Je remarquai les arbres bien élagués, les pelouses tondues, les sous-bois nettoyés, les pêcheurs à la ligne silencieux et méditatifs, les familles de canards et le cygne solitaire : tout cela composait un paysage où les divers éléments étaient à leur place et en bon ordre et où l'harmonie était omniprésente. *L'harmonie*, me disais-je en remontant l'escalier, voilà le mot qui caractérisait la plupart des lieux publics ou privés que j'avais vus depuis mon arrivée en France.

Dans ma petite maison sur roues, je mis de l'eau dans une casserole pour me faire du café et commencer mon travail de traduction, et il me vint à l'esprit un autre mot qui semblait convenir à ce que j'avais observé jusque-là : le mot *tradition*. Aussitôt, je me moquai de moi-même, me disant que je découvrais naïvement ce que tout le monde avait noté avant moi. Pendant que je préparais le café, j'eus de nouveau le mal du pays; ce fut très bref, et le plaisir d'avoir trouvé un décor de verdure et d'eau reprit vite le dessus.

La rue du Lac, où j'avais transporté mes pénates, se trouvait à proximité des commerces et du métro Saint-Mandé-Tourelle, mais il n'y avait pas beaucoup de bruit. La tranquillité ambiante me permit, ce matin-là, après mon inspection du voisinage, de travailler aussi bien que dans la librairie de Jack, à Québec. Je me réjouissais à l'idée de connaître une nuit tout à fait calme pour la première fois depuis longtemps.

Deux heures et quart du matin: c'est l'heure que je lus au tableau de bord du Volks après avoir été réveillé par un bruit de voiture. Je me recouchai et il me fut difficile de me rendormir. Presque tout de suite, à ce qu'il me sembla, une autre voiture me tira de mon sommeil. Cette fois, par la fenêtre de la porte coulissante, j'eus le temps de voir que l'automobile roulait à petite vitesse, en feux de position, et qu'elle était conduite par un homme accompagné d'une autre personne.

Juste avant le lever du jour, réveillé une troisième fois, j'entendis une auto se garer de l'autre côté de la rue, en face du Volks. Je mis le nez à la fenêtre et, à la lueur de l'aube naissante, les mouvements que je distinguai dans la voiture, où une silhouette était penchée sur l'autre, me firent comprendre ce qui se passait: j'étais garé dans un secteur où les filles qui arpentaient le cours de Vincennes, la nuit, se faisaient conduire en automobile par des clients qu'elles s'employaient ensuite à soulager du poids de leur misère et de leur portefeuille.

Cette découverte me fit sourire et me rassura quelque peu, car j'avais craint un moment d'avoir affaire à des policiers en voiture banalisée ou à des riverains irrités d'avoir perdu leur place de stationnement. D'autre part, en ce qui concernait ma recherche du silence et de la tranquillité, je n'étais pas encore au bout de mes peines.

15

LA CLOSERIE DES LILAS

«Quand tu vas trouver quelque puissant, souviens-toi qu'il y en a un Autre qui, de là-haut, regarde ce qui se passe, et qu'il vaut mieux lui plaire à Lui qu'à cet homme»: c'est la phrase d'Épictète que je me répétais pour me rassurer, tandis que le métro m'emportait vers le quartier de Montparnasse.

Mon inquiétude avait une cause précise, elle avait même un nom et un visage. Le nom, c'était Philippe Rollers. Quant au visage, il m'était familier, je l'avais vu plusieurs fois dans les journaux et les revues, et dans les émissions que j'avais regardées malgré moi chez les amis de Jack.

Ce n'était pas de ma propre initiative que j'allais voir cet homme, mais bien parce que Jack me l'avait demandé juste avant que je monte dans l'avion, à Québec. «Pourrais-tu, s'il te plaît, *oublier* mon nouveau livre à la Closerie des Lilas et faire en sorte qu'il tombe sous les yeux de la vedette littéraire Philippe Rollers?» Voilà ce qu'il m'avait demandé. Il avait ajouté «seulement si l'occasion se présente», et ces mots, qui n'étaient qu'une formule de politesse, m'avaient servi de prétexte, depuis mon arrivée, pour ne pas m'acquitter de ma mission. En fait, je savais bien que «l'occasion» ne se présenterait jamais, et mon sentiment de culpabilité avait augmenté de jour en jour.

Je descendis à la station Luxembourg. Avant toute chose, je fis un détour par la Librairie du Québec, au 30, rue Gay-Lussac, où j'achetai le livre de Jack. La vendeuse avait les yeux doux, une allure qui m'était familière et un accent chantant qui était semblable au mien. En plus, il montait du sous-sol une chanson de Félix Leclerc que Jack avait coutume de chantonner pour exercer sa mémoire; chaque mot résonnait dans mon cœur une fraction de seconde avant que je ne l'entende, et c'était comme si le vieux Jack lui-même était venu m'encourager. Mi-confiant, mi-inquiet, je me remis en route et, tournant le dos au jardin du Luxembourg, je commençai à descendre le boulevard Saint-Michel.

Le ciel pour une fois était uniformément bleu. Je m'obligeai à ralentir le pas, car je n'avais pas encore trouvé quel stratagème il fallait utiliser pour que le roman de Jack se retrouve entre les mains de Philippe Rollers, un habitué de la Closerie, et pour que cet auteur parisien de renom éprouve l'envie de lire la première phrase; tout cela pendant que je le surveillerais pour voir comment il allait réagir à cette lecture.

J'avais appris l'existence de la Closerie des Lilas en lisant *Paris est une fête*. Ce restaurant, situé à l'angle du boulevard du Montparnasse et de l'avenue de l'Observatoire, avait été fréquenté par les artistes et les écrivains de l'entre-deux-guerres. On y voyait souvent Hemingway, qui avait déménagé tout près de là, au 113, rue Notre-Dame-des-Champs; il s'installait sur la terrasse, ou à l'intérieur en hiver, pour écrire ses nouvelles ou pour rencontrer des amis, tels que les poètes Blaise Cendrars et Ezra Pound.

Par contre, je ne savais rien de très précis sur Philippe Rollers. Je ne connaissais pas ses livres, je n'avais lu de lui qu'un article, dans *Le Monde,* portant sur le style. Je l'avais vu au moins deux fois à la télé et entendu très souvent à la radio, sur France-Culture, dans mon Volks: je ne voyais pas très bien ce que les gens lui trouvaient, sinon qu'il avait une vaste érudition, l'esprit vif et qu'il parlait à la vitesse d'une mitrailleuse. À la télé, dans les émissions littéraires, j'avais nettement préféré Sagan ou Modiano, tous deux assez pathétiques à voir, la première parce qu'elle marmonnait des paroles incompréhensibles, le second parce qu'il laissait toutes ses phrases en suspens, le regard brumeux et l'air égaré comme les fantômes qui hantaient ses romans.

Même s'il se méfiait des vedettes, Jack avait de l'admiration pour Rollers. Il appréciait ses idées sur la littérature et sur la vie, et il aimait le détachement qu'il sentait dans tous ses livres.

Plongé dans mes réflexions, je dépassai la Closerie sans m'en apercevoir. Je revins sur mes pas, mais n'ayant toujours pas établi un plan d'action, je n'osai pas m'arrêter. Je fis ainsi l'aller et retour à plusieurs reprises avec le livre de Jack qui, au fond de mon petit sac à dos, me tapait derrière l'épaule à chaque pas. Sauf pour l'entrée, en forme d'arche, qui se trouvait sur le boulevard du Montparnasse, le restaurant était complètement entouré d'une haie de verdure opaque et il était impossible de voir s'il y avait du monde à la terrasse.

Au bout de dix minutes, craignant que mes allées et venues ne paraissent suspectes, je me décidai à entrer : le pire qui pouvait m'arriver, après tout, c'était de boire un verre et de repartir sans avoir placé le livre sous les yeux du célèbre auteur. En m'approchant, je vis s'allumer, à une fenêtre de l'étage, l'enseigne au néon de la Closerie. L'enseigne était, bien sûr, de couleur lilas, mais dans mon énervement ce n'est qu'une fois assis à la terrasse que je fis le lien avec le nom du restaurant. Comment pouvait-on avoir l'esprit aussi lent ? J'en souriais encore lorsqu'un garçon vint me demander ce que je prenais.

— La même chose que monsieur Rollers, répondis-je, étonné de ma soudaine audace.

— Il n'est pas là ! répliqua sèchement le garçon.

— Mais si, il vient d'arriver!

Le garçon se retourna et regarda vers un coin de la terrasse. Ce n'était qu'un rapide coup d'œil, mais j'étais sûr que son regard s'était porté vers la table la plus éloignée, une table inoccupée qui se trouvait dans un coin, près de la haie de verdure. Ensuite, il me considéra d'un air désapprobateur. Pour me donner une contenance, je sortis aussi lentement que possible de mon sac à dos le livre de Jack et je le posai devant moi dans sa pochette en plastique, sur laquelle on pouvait lire le slogan publicitaire de la librairie: «Un coin du Québec au cœur de Paris».

— Vous m'avez eu! déclara le garçon.

— Pardon? fis-je, l'air innocent.

— Vous vouliez savoir où était la table de Philippe Rollers, non?

— C'est vrai. Excusez-moi... Vous êtes fâché?

— Pas vraiment. Vous êtes Québécois?

— Oui.

— Un Québécois *ratoureux*, à ce que je peux voir.

— Tiens... vous connaissez le Québec?

— Non, mais j'habite avec un copain qui a travaillé à Montréal pendant une dizaine d'années, alors il y a des livres québécois à l'appartement: des romans, de la poésie, un dictionnaire... Un instant, je reviens.

Un couple venait d'arriver. Des touristes américains: une grande blonde avec des lunettes de soleil et un jeune homme bien mis; tous deux avaient une allure aristocratique et c'était difficile de ne pas penser à Zelda et à Scott Fitzgerald en les voyant. Le garçon les installa à une table située non loin de l'entrée, leur servit des martinis ou quelque chose de ce genre, puis il revint me voir.

— Qu'est-ce que je disais?

— Vous disiez qu'il y avait des livres québécois dans votre bibliothèque.

— Ah oui...

— Est-ce que vous connaissez celui-ci? demandai-je en sortant le roman de sa pochette. Le garçon prit le livre et, après un bref examen de la couverture, il le retourna pour lire le texte de présentation. On aurait dit qu'il était en train de se brûler les doigts, car il revint tout de suite à la couverture et lut à haute voix le nom de l'auteur : «Jack Waterman».

— Non, je ne le connais pas, dit-il.

— C'est mon père, dis-je.

Les mots étaient sortis tout seuls, c'était la deuxième fois que je faisais ce lapsus et je n'étais pas fier de moi.

— Est-ce que c'est un bon livre? demanda le garçon.

— Justement, dis-je, il y a un petit problème...

— Quel genre?

— Mon père aimerait savoir comment réagirait un homme comme Philippe Rollers s'il découvrait le livre *par hasard* et se mettait à lire les premières lignes.

— Que disent les critiques?

— Les critiques sont plutôt bonnes, mais l'auteur, je veux dire mon père, voudrait avoir l'opinion d'un intellectuel parisien. Il a bâti une théorie concernant la première phrase. Selon lui, la première phrase devrait être comme une fenêtre ouverte, une lumière dans la nuit ou le sourire d'une inconnue, c'est-à-dire une chose si attirante et séduisante qu'on ne puisse résister à l'envie de lire la suite. Et il voudrait que je reste ici pour vérifier si tout se passe comme prévu, vous comprenez?

— Tout à fait.

— Sa première phrase est censée être irrésistible. Voulez-vous vérifier vous-même?

— C'est pas la peine, je ne suis pas un intello.

— J'insiste, dis-je en lui tendant le livre ouvert à la première page. En réalité, son avis m'était égal : je voulais seulement qu'il se sente impliqué et qu'il m'offre son aide.

— Hum! fit-il, ça m'a l'air plutôt bon... Comment allez-vous faire pour que monsieur Rollers ait le livre en main? Avez-vous une idée?

— Non, aucune idée, dis-je en remettant le livre dans sa pochette. Et vous?

— Moi? fit le garçon. Un moment, s'il vous plaît... Il alla trouver les touristes américains, près de l'entrée: l'homme avait levé un doigt et faisait le geste d'écrire quelque chose dans sa main. Il lui donna sa note, que l'homme régla, puis il revint me voir. Ce que vous voulez, dit-il, c'est que je me charge de remettre le livre à monsieur Rollers?

— Je n'osais pas vous le demander, dis-je essayant d'avoir l'air aussi humble que possible. J'avais l'intention de mettre le livre sur sa chaise, pour faire comme si quelqu'un l'avait oublié, mais d'abord, je ne sais pas à quelle heure il arrive...

— Ce n'est même pas sûr qu'il va venir!

— Et puis, il peut aussi bien prendre le livre et le poser sur la table sans l'examiner, par discrétion ou quelque chose de ce genre... D'habitude, est-ce qu'il apporte quelque chose à lire?

— Oui, il lit *Le Monde.*

— Et il devrait arriver bientôt?

Le garçon consulta sa montre.

— Il devrait déjà être là, dit-il, mais il ne vient pas tous les jours. Ah! je crois que j'ai une idée... Je mets le livre sur sa chaise, et si vous voyez qu'il ne l'ouvre pas, vous me faites signe discrètement, alors je m'approche et je lui dis qu'il s'agit d'un auteur peu connu et néanmoins très apprécié aux États-Unis...

— Et vous ajoutez: «...dans les milieux universitaires», ça va l'impressionner encore plus!

— D'accord. Au fait, qu'est-ce que je vous sers?

— Un whisky-soda.

Ce n'était pas ma boisson habituelle, c'était celle qu'Hemingway prenait en compagnie de Fitzgerald, d'après ce que j'avais lu dans *Paris est une fête.* Ils en buvaient plusieurs verres d'affilée, et tout à coup le visage de Fitzgerald devenait cireux et il perdait connaissance.

— Bravo pour vous, c'est justement ce que boit monsieur Rollers, dit le garçon.

— Je pense à une chose, dis-je. Le livre, est-ce qu'il vaut mieux le laisser dans sa pochette en plastique, ou bien?

— Non! coupa-t-il, subitement énervé. Il faut le sortir! Sinon, en apercevant le mot «Québec» sur la pochette, vous pouvez être sûr que monsieur Rollers n'aura même pas envie de regarder à l'intérieur!

— Pourquoi? Les intellos parisiens ne s'intéressent pas à la littérature québécoise?

— Je n'ai pas dit ça!

Il protesta avec véhémence, puis il sortit de la terrasse et jeta un regard circulaire au-dehors.

— Monsieur Rollers n'est pas là, me souffla-t-il en repassant près de ma table. Il rentra dans le restaurant et revint avec un whisky-soda qu'il me servit sans dire un mot. Après avoir bu une petite gorgée, je sortis à mon tour de la terrasse pour examiner les environs. Je tournai le coin et, passant derrière la statue vert-de-gris du maréchal Ney, je fis quelques pas sur l'avenue de l'Observatoire. Tout à coup, j'aperçus l'auteur parisien qui arrivait en patins à roulettes sur le trottoir, mains dans les poches, élégant et presque aérien avec son fume-cigarette aux lèvres et une écharpe légère flottant dans son dos.

Je rentrai à toute vitesse.

— Il arrive! criai-je au garçon. Sans perdre une seconde, il prit le livre de Jack, le jeta sur la chaise de monsieur Rollers. Ensuite, il se précipita à l'intérieur du restaurant et je le suivis parce que mon cœur battait trop vite et que j'étais incapable de cacher ma nervosité. J'allai aux toilettes et, au retour, voyant un exemplaire de *L'Équipe* sur le comptoir du bar, où le garçon était accoudé en face du barman, je demandai à ce dernier la permission de prendre le journal. Il acquiesça et, de son côté, le garçon m'adressa un sourire d'encouragement.

L'Équipe sous le bras, je pris un air détaché et regagnai ma place sur la terrasse. J'avais bêtement oublié la pochette sur la table, à côté de mon whisky-soda, alors je me hâtai de l'enfouir dans mon sac à dos. Monsieur Rollers était déjà installé à la table qui lui était réservée dans le coin, près de la haie. Il avait posé le roman de Jack devant lui.

Le garçon s'approcha et le salua avec respect.

— Comme d'habitude, monsieur?

— S'il vous plaît.

Monsieur Rollers, qui avait remplacé ses patins à roulettes par des sandales, déplia *Le Monde* et sourit en regardant la caricature de Plantu. De ma place, je n'avais qu'à lever les yeux pour voir son visage. Ses cheveux grisonnants, taillés en frange sur le front, lui auraient donné l'air d'un moine si ce n'eût été du fume-cigarette qu'il tenait entre ses dents. Lorsque le garçon lui apporta son apéro, je déployai mon journal et, derrière cet abri que je pouvais déplacer à ma guise, je me mis à observer ce qui se passait.

Tout en évitant de me bloquer la vue, le garçon expliquait quelque chose à monsieur Rollers, qui hochait la tête sans cesser de lire *Le Monde*.

Finalement, il abandonna son journal et prit le roman de Jack. Il regarda brièvement la couverture, plus longuement la quatrième, et reposa le livre sur la table. Il reprenait déjà son journal, quand le garçon se pencha et lui glissa quelque chose à l'oreille. J'avais abaissé mon propre journal de quelques centimètres, juste ce qu'il fallait pour observer la scène avec attention. Je ne peux pas le jurer, mais il me sembla que l'intellectuel jetait un regard de mon côté. Ensuite, il reprit le livre de Jack et l'ouvrit à la première page.

Malgré tous mes efforts, mon journal tremblotait comme si j'avais la maladie de Parkinson. À mesure qu'il lisait, monsieur Rollers se mit à tirer sur son fume-cigarette avec une sorte d'appétit qui me sembla de bon augure et je me sentis un peu rassuré. Il lut la première page au complet, puis il la tourna et prit le temps de parcourir quelques lignes de l'autre côté. Un petit sourire éclairait son visage au moment où il abandonna le livre, et j'eus le sentiment que Jack avait gagné son pari.

Je bus une longue gorgée de whisky-soda. En passant près de ma table, le garçon me fit un clin d'œil complice puis rentra dans le restaurant, et je me hâtai d'aller le remercier. À l'entendre, ce n'était rien du tout et il était très heureux d'avoir rendu service à un Québécois. Il avait cependant, en me serrant la main, l'air gauche et emprunté de celui qui ne dit pas toute la vérité; sur le moment, je ne pris pas garde à ce détail.

Je retournai sur la terrasse. Étant donné l'heure tardive, je m'apprêtais à vider mon verre sans perdre de temps, lorsque monsieur Rollers prit le livre de Jack et se leva brusquement de table. Je faillis avoir une attaque en m'apercevant qu'il se dirigeait vers moi.

Il posa le livre sur ma table.

Je fis comme si j'étais complètement absorbé dans la lecture de *L'Équipe*. C'était l'époque de Wimbledon, et Pete Sampras, une de mes grandes idoles, venait de remporter ce tournoi pour la sixième fois, battant le record de Bjorn Borg. Le compte rendu de la finale, disputée contre André Agassi, était passionnant: le journaliste affirmait que, dans toute l'histoire du tennis, personne n'avait mieux joué sur gazon que Sampras ce jour-là. Agassi, vaincu en trois sets consécutifs, avait dit de son adversaire qu'il «marchait sur l'eau», et Sampras lui-même avait eu ce commentaire: «*I was in the zone.*» Ces derniers mots n'avaient pas été traduits par le journaliste et, tout en essayant de nier, dans ma tête, la présence de monsieur Rollers à côté de ma table, je cherchais désespérément la meilleure traduction, hésitant entre «J'étais sur un nuage » et une autre expression qui avait le mérite d'être plus simple : « Je planais. »

— Je vous rends votre livre, dit monsieur Rollers d'une voix calme.

— Pardon ? fis-je, comme si j'étais très étonné de le voir.

— Ce livre vous appartient, n'est-ce pas ?

— Oui, mais...

— Vous vouliez savoir comment j'allais réagir en lisant le début ?

— Heu !...

— Est-ce que ma réaction vous convient ?

Je repliai mon journal et levai les yeux vers lui. Il serrait les dents sur son éternel fume-cigarette, mais je ne vis aucune agressivité dans son visage ; je suis un expert pour déceler le moindre signe d'agressivité.

— Comment avez-vous deviné ? demandai-je.

— C'était facile, j'avais vu la pochette québécoise sur votre table en arrivant, dit-il. Ensuite, vous lisiez *L'Équipe* : c'est un journal du matin, alors je me suis dit que vous n'étiez pas Français.

— Bien vu, dis-je, même si en réalité je pensais que son dernier argument n'était pas très fort.

— Je n'ai pas de mérite : en ce moment, on n'arrête pas de me mettre des livres sous le nez pour voir ma réaction. J'ai une certaine expérience, si je puis dire !

— Je vous fais toutes mes excuses !

— Il n'y a pas de mal, dit-il, et il tourna subitement les talons. Au moment de s'asseoir, il s'immobilisa à la manière de l'inspecteur Colombo, puis il revint vers moi. J'ai oublié une petite chose, dit-il, le début du livre est très réussi !

Je vidai mon whisky-soda d'un trait et, n'étant pas habitué à ce genre d'alcool, je m'en retournai au minibus en souriant et en disant bonjour à tout le monde comme un zouave.

16

UNE LETTRE INTERMINABLE

Trois heures du matin et je n'avais presque pas dormi. Même avec des boules Quies dans les oreilles, j'avais été réveillé par des bruits de moteur : les filles du cours de Vincennes travaillaient toute la nuit. En plus, un individu louche avait essayé de voir à l'intérieur du Volks avec une lampe de poche; c'était peut-être un proxénète cherchant à éliminer la concurrence.

Jack m'avait parlé d'un moyen de défense qu'il utilisait à l'époque où il avait traversé l'Amérique en diagonale pour se rendre en Californie. Quand il passait la nuit dans une ville mal famée, comme Detroit ou Chicago, il collait une pancarte «Beware of the dog!» sur la fenêtre arrière; et s'il entendait des bruits suspects autour du véhicule, il faisait jouer une cassette sur laquelle étaient enregistrés les jappements féroces d'un berger allemand.

Au bois de Vincennes, il n'y avait pas lieu de craindre pour ma vie. C'était mon bien-être, tout au plus, qui était menacé, mais comme j'avais passé quelques nuits blanches, ma patience était à bout. Vers trois heures trente, ignorant les préceptes stoïciens d'Épictète, je me mis au volant du minibus, nu-pieds et vêtu seulement du tee-shirt qui me servait de pyjama, et je repris le chemin du XIIᵉ arrondissement.

Obligé de faire un long détour à cause des sens uniques, je m'égarai dans les ruelles et les culs-de-sac. Par hasard, au moment où je désespérais de retrouver ma route, je tombai sur une avenue qui me conduisit au château de Vincennes. D'après mon plan, il suffisait d'aller droit vers l'ouest, c'est-à-dire vers le centre-ville dont j'apercevais la lueur. Après avoir trouvé un pont qui franchissait le périphérique, je constatai avec surprise que je roulais déjà sur le cours de Vincennes. C'était le milieu de la nuit, et pourtant il y avait un défilé presque ininterrompu de voitures et de motos et des lumières partout. Mon impatience peu à peu se dissipa. Je mis en marche le chauffage du Volks pour avoir de la chaleur sur les pieds. Et avant de chercher un nouveau stationnement, je m'offris le luxe de contourner à trois reprises le monument illuminé par les projecteurs, sous les grands platanes, au centre de la place de la Nation.

Je descendis ensuite le boulevard de Picpus. Je passai en face de l'endroit où j'étais garé auparavant et remontai une rue à sens unique dont j'aimais bien le nom parce qu'il faisait naître des images dans ma tête : la rue du Rendez-Vous. Elle était si paisible à cette heure que, parvenu en haut, je m'installai sur la gauche à la première place de stationnement qui était libre. Avant de me recoucher pour essayer de dormir quelques heures, je regardai autour du Volks. Tout ce que je voyais ou presque m'était familier : le marché Franprix, le réparateur de vêtements, la boulangerie, le bistrot Le Chalet, la librairie de Marianne, et le roi Philippe Auguste au faîte de sa colonne de pierre.

Quelques jours plus tard, Françoise, la factrice de mon quartier, laissa tomber une enveloppe sur le siège du passager et je reconnus tout de suite l'écriture de Mistassini. Je m'empressai de l'ouvrir. Ma sœur disait qu'elle m'écrivait une «lettre interminable» et que j'allais comprendre, à la fin, ce qu'elle entendait par là.

Elle avait fait certaines innovations à la «librairie du Vieux», comme nous disions affectueusement en pensant à la fois au Vieux-Québec et au vieux

Jack. Par exemple, elle avait modifié la façon de placer les livres sur les rayons. Elle avait observé que les lecteurs, en se déplaçant devant les étagères, n'aimaient pas incliner la tête sur le côté pour lire le titre et le nom de l'auteur, et qu'ils prenaient plus volontiers entre leurs mains les livres qui avaient été sortis du rang et placés de face; pour choisir ces livres, qui se vendaient mieux, elle avait établi un système de roulement qui était basé sur la liste des best-sellers, mais en commençant par les derniers.

Elle avait fait une vitrine d'été dont elle était assez contente. Avec l'accord de Jack, elle avait mis en montre non pas les livres pratiques et les romans légers que les journalistes conseillaient de «glisser dans les sacs de plage», mais plutôt des livres de philo, des études sérieuses et des romans difficiles, estimant que, pendant leurs vacances, enfin libérés des contraintes du travail et de l'abrutissement de la télé, les gens étaient mieux préparés à lire les ouvrages importants qu'ils avaient laissés de côté pendant l'année.

Jack venait l'aider tous les jours, en dépit du fait qu'il s'était mis à la traduction d'un jeune romancier canadien. Quand il allait bien, il prenait même le temps de lui enseigner les petits trucs du métier... Comment répondre à une dame qui téléphonait pour savoir s'ils avaient le roman dont elle avait vu l'adaptation cinématographique à la télé, lorsque cette adaptation ne portait pas le même titre que le roman et que la dame se croyait obligée de raconter toute l'histoire du film... Comment tourner la tête au bon moment pour que les étudiants et les lecteurs pauvres aient l'occasion de voler les livres empilés dans ce but à côté de la sortie... Comment faire en sorte qu'un client venu pour acheter le dernier best-seller de Stephen King reparte avec le premier roman d'un auteur québécois inconnu mais possédant déjà un style.

Elle n'avait pas voulu le dire tout de suite : Jack n'allait pas très bien. Mon cœur se serra quand je lus cette petite phrase, dans mon camion, rue du Rendez-Vous. En fait, pendant que je lisais la lettre, il y avait deux questions qui n'arrêtaient pas de me trotter dans la tête : je me demandais si l'état de Jack s'était aggravé, et si ma petite sœur avait trouvé quelqu'un.

Miss avait du mal à préciser ce qui faisait défaut dans son comportement. Grâce aux efforts qu'il faisait pour se rappeler les paroles des vieilles chansons, sa mémoire ne semblait pas avoir diminué. En outre, il se plaisait beaucoup dans son nouveau métier de traducteur littéraire.

Par contre, elle avait l'impression que son contact avec la réalité devenait intermittent et elle donnait en exemple une théorie qu'il avait échafaudée. À force de se pencher sur le roman qu'il traduisait avec lenteur et précaution, Jack avait eu ce qu'il appelait une «révélation» : un livre était comparable à une ville. Tout ce qui était en blanc dans un livre, c'est-à-dire les marges, les alinéas et les espaces libres à la fin des chapitres, permettait au lecteur de se reposer et jouait le même rôle que les bancs publics, les jardins et les parcs dans une ville. Tout ce qui était en noir, à savoir les mots, les lignes et les paragraphes, correspondait aux maisons, aux rues et aux quartiers. Et l'espace blanc qui se trouvait au milieu, dans le pli du livre, était évidemment comme une rivière séparant la ville en deux.

Bien que simpliste et tirée par les cheveux, cette théorie n'indiquait pas, aux yeux de Miss, une aggravation de la «maladie d'Eisenhower». C'était aussi mon avis, mais il s'était produit un incident plus inquiétant.

Un samedi, en fin de journée, la librairie s'était peu à peu vidée de ses clients, plus nombreux à cause du Festival d'été, et il n'était resté qu'une fille, appuyée au comptoir, les bras croisés sur un cahier. Elle n'avait que la peau et les os, son visage était à moitié dissimulé par une mèche de cheveux, et elle portait une robe longue avec des manches bouffantes et deux étages de falbalas; elle avait l'air de sortir d'un roman des sœurs Brontë.

Croyant qu'elle apportait un manuscrit, Miss l'avait invitée à le placer elle-même dans les rayons. La fille avait alors expliqué qu'il s'agissait d'une thèse qu'elle était en train de rédiger sur les romans de Jack. Elle était venue lui demander s'il voulait bien répondre à quelques questions.

Allongé dans sa chaise inclinable, les pieds sur le bureau, Jack fumait une cigarette en silence; il faisait comme s'il n'avait rien entendu. La fille serrait nerveusement son cahier et semblait prête à s'enfuir. Pour lui redonner confiance, Miss l'avait interrogée sur les thèmes qu'elle abordait dans son travail. C'était une thèse de maîtrise portant sur l'intertextualité et le postmodernisme. La fille avait donné des explications précises et faciles à comprendre, puis voyant que Jack ne réagissait pas, elle avait esquissé un geste vers la sortie. Miss l'avait prise par la main et amenée jusqu'au bureau.

Finalement, Jack avait accepté de répondre aux questions. Après une dizaine de minutes, toutefois, ses réponses étaient devenues élusives et de plus en plus brèves. Lorsque Miss les avait laissés pour faire du café dans la Parenthèse, il était allée la rejoindre et lui avait fait part de ses soupçons: cette fille était une émissaire de l'Hôtel-Dieu; sous le prétexte d'études universitaires, elle était chargée de vérifier s'il avait gardé une mémoire précise de tout ce qui se passait dans ses romans.

De retour dans la grande salle, où Miss avait servi le café, il n'avait plus répondu que par monosyllabes aux questions de la fille. Elle avait fini par lui demander si elle avait commis une erreur, une indiscrétion ou si elle avait fait quelque chose de mal. Jack avait prononcé quelques phrases obscures, dont celle-ci : «S'il vous plaît, laissez les vieux écrivains tranquilles.» La jeune fille avait quitté la librairie en pleurs, oubliant son cahier sur le comptoir. Miss l'avait rattrapée dans la rue Saint-Jean et, lui ayant redonné son texte, elle avait essayé de la consoler en lui faisant comprendre que Jack traversait une période difficile.

Dans le Volks, à Paris, mon cœur était avec Miss, et j'étais aussi énervé qu'elle. Je la voyais maintenant se hâter de retourner à la librairie, où Jack l'attendait, accablé par le sentiment d'avoir été inutilement agressif. Elle lui disait qu'il ne devait pas s'inquiéter puisque, de toute façon, sa mémoire n'avait pas été prise en défaut. Pour le rassurer, elle lui faisait chanter une des chansons qu'il avait apprises par cœur. Il passait le test avec succès, mais comme ses doutes n'étaient pas complètement effacés, elle lui promettait d'apprendre elle-même une des chansons, *Le Petit Bonheur,* et elle s'engageait à trouver, parmi ses amis, une personne pour chacune des autres chansons de son répertoire. Ainsi, en cas de défaillance, il se trouverait toujours quelqu'un dans son entourage pour lui souffler les mots oubliés. Cette idée lui était venue en lisant *Fahrenheit 451* de Bradbury.

Depuis lors, Jack avait donné à Miss le surnom de «Petit Bonheur». Aucun autre incident ne s'était produit. Elle s'était inscrite à un cours d'auto-défense parce qu'elle était fatiguée de se faire importuner quand elle rentrait tard le soir. Elle avait quitté son appartement de Limoilou et habitait à la librairie, et parfois chez Jack lorsqu'il avait besoin d'aide. Charabia, le chat noir, avait grossi et sortait la nuit; il avait encore élargi le registre de ses miaulements.

Me demandant avec inquiétude s'il existait des liens nouveaux entre Jack et ma petite sœur, je lus à toute vitesse une première fois et très lentement ensuite, les mots tendres avec lesquels elle me disait qu'il ne fallait pas interrompre mon voyage, mais qu'elle s'ennuyait de moi. Mon cœur chavirait quand elle évoquait les journées que nous avions passées à travailler côte à côte dans la librairie, les repas pris en commun dans la Parenthèse, les soirées où nous étions heureux de lire, d'échanger nos livres, puis de sommeiller l'un contre l'autre en osant à peine bouger la plupart du temps...

Arrivée à ce point de sa lettre, Miss était obligée de s'arrêter parce qu'elle ne trouvait pas les mots qui convenaient pour dire le reste. Voilà pourquoi, au début, elle avait dit qu'elle écrivait une «lettre interminable».

17

LE BUS DES FEMMES

Peu de temps après mon arrivée à Paris, j'avais réalisé un de mes rêves : assister au tournoi de Roland-Garros, dans le bois de Boulogne, où Pete Sampras, mon joueur de tennis préféré, essayait de remporter le seul trophée qui manquait encore à son incomparable palmarès.

Sampras avait l'air de jouer au tennis pour des raisons esthétiques. Ses gestes étaient si fluides, si bien coordonnés qu'il arrivait à frapper la balle avec plus de force et de précision que ses adversaires, en déployant moins d'efforts. Je trouvais son jeu élégant et sobre, et il m'était agréable de penser que c'étaient précisément les mots utilisés par Jack pour définir le genre d'écriture qu'il aimait. Le jeu de Sampras était cependant de moins bonne qualité sur la terre battue, où il fallait effectuer une glissade au moment de frapper la balle. À Roland-Garros, cette année-là, qui semblait être l'année de la dernière chance pour un joueur de son âge, j'avais dû reconnaître qu'il n'avait pas fait de progrès sur cette surface : il avait été vaincu dans les quarts de finale. La terre n'était pas son domaine.

À la même époque, j'avais fait une courte escapade hors de la capitale pour assister aux 24 Heures du Mans. Je voulais voir le grand Henri Pescarolo. Comme il s'était fait connaître dans les courses d'endurance plutôt qu'au volant d'une Formule Un, il n'avait pas la réputation des pilotes tels que Prost, Schumacher ou Senna, ou encore des plus anciens comme Fangio, Moss ou Clark. Toutefois, pour les journalistes du sport automobile et les gens de ce milieu, il était tout simplement un maître.

Devenu chef d'équipe, Pescarolo avait une chance de gagner les 24 Heures avec une nouvelle voiture, la Courage. Je m'étais donc rendu au Mans par l'autoroute et, ayant laissé le Volks dans le grand parc de stationnement, où je pouvais retourner de temps en temps pour manger un morceau et me reposer, j'avais passé de très belles heures dans les gradins à regarder les prototypes et les voitures sport tourner sur le circuit, d'abord sous la lumière crue du soleil, puis toute la nuit avec leur guirlande de feux allumés comme des arbres de Noël, et ensuite dans le dangereux brouillard du petit matin. Mais à la fin, quand on avait abaissé le drapeau à damier, la Courage de Pescarolo, ayant subi des ennuis mécaniques, n'avait même pas franchi la ligne d'arrivée.

Deux semaines plus tard, cette déconvenue ne m'avait pas empêché de me rendre au circuit de Magny-Cours, dans la Nièvre, pour voir comment Villeneuve, le pilote québécois de Formule Un, allait se débrouiller au Grand Prix de France. Après avoir remporté le Championnat du Monde, il s'était associé à la création d'une nouvelle écurie : cette difficile entreprise tardait à donner des fruits, mais dans mon cœur, à chaque nouvelle course, je gardais l'espoir insensé que sa monoplace un peu lourdaude allait lui permettre de finir en tête. J'avais donc passé toute la fin de semaine à Magny-Cours, assistant aux essais et à la course ; j'avais été déçu par le résultat : Villeneuve n'avait pas fait mieux qu'une quatrième place.

Sur le chemin du retour, je fus pris dans des embouteillages qui persistèrent jusqu'à la jonction de l'autoroute, à Auxerre, puis se formèrent de nouveau à l'approche de Paris. Quand je retrouvai enfin une place de stationnement en haut de la rue du Rendez-Vous, il était tard, j'avais le dos rompu, la tête pleine du vrombissement des moteurs et j'étais aux prises avec l'idée démoralisante que mes héros, dans le domaine sportif, étaient en déclin. J'avalai une petite soupe aux légumes verts, puis je me mis à hésiter entre des pâtes et une boîte de thon avec du riz. Incommodé par la chaleur que dégageait le poêle à gaz, je m'allongeai sur la banquette arrière; je tirai les rideaux et enlevai mon jean.

Je fus réveillé au milieu de la nuit par le claquement typique des talons pointus sur le trottoir. À la hauteur du Volks, le clic-clac sembla hésiter un moment, puis s'éloigna. Je n'étais pas vraiment inquiet – un voleur n'aurait pas fait autant de bruit – néanmoins je me redressai et tendis l'oreille par curiosité. La personne avait probablement tourné le coin du boulevard de Picpus, car je n'entendais plus rien. Me rallongeant sur la banquette, je me couvris le bas du corps avec un drap de coton.

Je venais à peine de m'assoupir, me sembla-t-il, quand j'entendis de nouveau le claquement des talons sur le trottoir. Les pas, comme auparavant, venaient du bas de la rue, mais cette fois ils s'arrêtèrent en face du Volks. Très énervé, je remontai le drap par-dessus ma tête, au cas où la personne aurait l'idée de regarder à travers le pare-brise, et je m'efforçai de rester immobile. Je respirais au ralenti pour ne pas faire bouger le drap.

La portière, côté chauffeur, s'ouvrit sans la moindre résistance, ce qui m'étonna car j'avais l'impression de l'avoir verrouillée avant de me recoucher. Un parfum bon marché se répandit dans le minibus et j'entendis une drôle de voix :

— Je sais que vous êtes sous le drap et que votre cœur bat très vite.

La voix était bizarre, à la fois caressante et râpeuse. Elle avait raison pour ce qui était de mon cœur : il battait comme si j'avais couru le cent mètres en dix secondes. Mais pourquoi cette personne était-elle entrée si facilement? Pourquoi s'intéressait-elle à mon cœur? Pourquoi avait-elle cette voix qui me faisait penser à Marlene Dietrich, une des chanteuses préférées de Jack?

Je m'assis en tailleur sur la banquette arrière, retenant le drap autour de mes hanches et sur mes jambes; je ne portais rien dessous.

— Excusez-moi de vous réveiller au milieu de la nuit, dit la personne.

— Il n'y a vraiment pas de quoi, dis-je sur un ton désinvolte qui laissait entendre que je recevais du monde toutes les nuits et que sa présence ne me dérangeait pas du tout.

La personne se mit de côté sur le siège. Elle appuya son dos contre la portière, allongea ses jambes sur le siège du passager et j'entendis ses chaussures tomber sur le plancher du Volks. J'avançai la tête pour regarder ses jambes et ses pieds. Elle avait une jupette en cuir et un collant de couleur sombre qui était percé au genou, des jambes longues et fines, bien que musclées au mollet, et des pieds assez fins, à peu près de la même taille que les miens. Ce bref examen ne me permit pas de décider si j'avais affaire à une femme ou à un travesti; le visage, plutôt jeune et légèrement maquillé, pouvait aussi bien appartenir à l'un ou à l'autre sexe.

— Quel est le verdict? demanda la personne.

— Il n'y a pas de verdict, répondis-je.

— Ça vous ennuie beaucoup?

— Ça m'est com-plè-te-ment égal!

Pour quelque étrange raison, j'éprouvais le besoin de lui faire croire que les histoires de sexe n'avaient aucune importance pour moi. Ce ne fut pas une réussite, autant qu'il me fut possible d'en juger, mais au moins la personne eut l'air de se détendre.

— Ça fait du bien de se reposer les jambes, dit-elle.

— Vous marchez beaucoup? demandai-je stupidement.

— J'ai intérêt! Sinon les flics s'amènent... Autrefois, il y avait le Bus des Femmes: c'était le bon temps, on avait un endroit pour se reposer à n'importe quelle heure de la nuit. Vous vous rappelez?

— Ah non, je n'étais pas à Paris. J'étais au Québec.

— Vous êtes Canadien?

— Pas Canadien! QUÉBÉCOIS!!!

Comme j'en avais plein le dos de répéter la même chose, je murmurai entre mes dents, mais assez fort pour être entendu: «Québécois, tabarnak!»

— J'aime bien la dernière syllabe de «tabarnak», dit-elle. On dirait un coup de fouet qui claque. Tenez, ça me fait penser à un livre de Jack London qui se passe dans le Grand Nord du Québec... Une histoire dans laquelle il y a des chiens de traîneaux et où on entend claquer des coups de fouet au-dessus des attelages... J'ai oublié le titre du livre.

— *Croc-Blanc*, dis-je, mais l'histoire ne se passe pas au Québec, elle se passe au Yukon! C'est dans l'Ouest, à l'autre bout du Canada!

— Pour moi, c'est pareil.

— Si ça peut vous faire plaisir... Alors, c'était quoi, ce Bus des Femmes?

— Un autobus rouge à deux étages, acheté à Londres, qui était garé sur le cours de Vincennes. Il était là toutes les nuits et c'était un refuge pour les filles qui voulaient souffler un peu, obtenir des seringues neuves ou des préservatifs, ou encore boire un café, parler avec quelqu'un, ou recevoir les premiers soins. Parfois les filles se font attaquer...

— Il y a de plus en plus de violence dans les grandes villes, dis-je sur un ton sentencieux qui ne m'était pas habituel.

— C'est ce que tout le monde pense, dit-elle.

— Et ce n'est pas vrai?

— Ça dépend. Dans le Bus des Femmes, il y avait toujours des bouquins qui traînaient. Une nuit, j'ai lu les lettres écrites par Stendhal à sa sœur Pauline. Pas toutes les lettres, seulement les premières, écrites dans les années 1800. À cette époque, Stendhal était en voyage et il écrivait à sa sœur, restée à Grenoble, leur ville natale. Il voulait partager avec elle tout ce qu'il apprenait au cours de ses déplacements. Par exemple, il lui disait qu'à Paris, en comptant les assassinats, les suicides et les victimes de duels, on arrivait à un total de quarante morts par jour: c'est beaucoup plus qu'aujourd'hui, n'est-ce pas?

— Vous avez raison, dis-je, surtout que la population de Paris, au début du XIXe siècle, était sûrement moins nombreuse.

— Il y avait huit cent mille habitants... Dites-moi, vous n'auriez pas quelque chose à boire?

Les connaissances et les explications précises de cette personne me faisaient une vive impression. J'aurais voulu avoir des boissons de qualité à lui offrir: cognac à l'orange, mirabelle, crème de cassis... hélas! je n'avais qu'un muscat plutôt médiocre et il n'était même pas froid.

— Du muscat? fit-elle. C'est parfait!

Pendant que je cherchais à atteindre la bouteille et les verres, ce qui était une tâche difficile parce qu'il fallait ouvrir les portes de l'armoire située sous le réchaud à gaz tout en retenant le drap autour de ma taille, elle ajouta qu'un jour, elle avait eu comme client un philosophe. Il lui avait dit que la société évoluait vers la paix et la justice «avec la lenteur majestueuse mais inexorable d'un glacier».

J'étais de plus en plus impressionné, mais l'idée me vint que la personne était peut-être un ou une sociologue ayant pris le déguisement d'une fille de rue pour mener une enquête scientifique. En risquant un coup d'œil de son côté, je compris que j'avais tort : elle avait disposé sur un miroir de poche deux traits de poudre blanche et elle tenait un bout de paille à la main.

— Vous en voulez ? demanda-t-elle.

— Non merci, dis-je, c'est un peu trop tôt pour moi. Vous n'auriez pas un peu de mari, par hasard ?

— Je regrette.

Elle aspira la coke, puis me tendit la main.

— Je m'appelle Dominique, dit-elle.

— Moi, c'est Jimmy.

Les deux plus grands toxicomanes du XIIᵉ arrondissement se serrèrent la main. Cependant, ni le prénom de la personne, qui convenait aussi bien à un homme qu'à une femme, ni sa poignée de main, ferme sans être vigoureuse, ne me permirent de trancher en faveur d'un sexe ou de l'autre.

Je versai le muscat et lui en tendis un verre.

— Merci, dit-elle, puis elle demanda : Vous avez un prénom anglais ?

— C'est à cause de Jim Clark, un pilote de course qui s'est tué quelque temps avant ma naissance. Mon père l'aimait beaucoup.

— Et c'est pour cela que vous vivez dans une auto ?

Elle vida son verre en deux gorgées, puis tourna la tête vers moi. Même si son visage se trouvait dans le contre-jour d'un lampadaire, j'eus l'impression qu'elle me faisait les yeux doux. Ce n'était pas la même douceur que dans les yeux bleus de Mistassini : c'était plus sombre et un peu glauque. Mon excitation était si grande, toutefois, qu'en voulant répondre à sa question, je me mis une fois de plus à tenir des propos nettement exagérés.

Je racontai que si je vivais dans un minibus, en pleine ville, c'était que venant d'Amérique, je ne pouvais pas m'empêcher d'entendre, depuis mon enfance, l'appel des grandes routes qui allaient se perdre dans les montagnes au bout de l'horizon.

La personne me regardait toujours, mais il me semblait que dans ses yeux, un peu de curiosité ou d'amusement se mêlait à la douceur. Je poursuivis mes explications, j'inventais tout à mesure, je disais n'importe quoi. Je me demande où j'allais chercher tout ça.

Je déclarai que la réussite matérielle ne m'intéressait pas. J'étais un descendant des hippies : leur mentalité me plaisait, sauf que j'avais rejeté toutes les idéologies et tous les principes. Je ne voulais pas changer le monde, il tournait sans moi et je n'avais aucune prise sur lui. Je n'avais même pas de rêves, il ne me restait qu'une petite flamme vacillante au fond du cœur.

La personne resta muette quelques instants, puis redemanda un demi-verre de muscat qu'elle vida d'un trait. Ayant posé le verre sur le tableau de bord, à côté de la boussole, elle s'étira les bras et les jambes avec un long murmure de contentement. Soudain, elle tendit le bras droit et, d'un geste vif et même viril, elle arracha le drap de coton que j'avais réussi à garder autour de ma taille pendant tout ce temps.

— Tiens ! fit-elle, je la vois, la petite flamme ! Écoutez, il faut que je retourne à mon travail, mais je peux vous faire un truc pour vous remercier de votre hospitalité. C'est un truc chinois assez peu connu qui s'appelle «Le cheval galope en regardant les fleurs». Vous n'avez qu'à vous allonger sur le dos. Ça vous intéresse ?

Elle avait ramené ses jambes sous elle et se penchait en avant, prête à venir me rejoindre sur la banquette arrière.

— Oui ou non ? demanda-t-elle.

— Merci, je préfère le cybersexe, répondis-je.

Je disais ça pour l'épater... Manifestement, elle n'était pas épatée du tout. Elle haussa les épaules et quitta le Volks après m'avoir adressé quand même un sourire amical. Je prêtai l'oreille au bruit de ses pas : elle n'avait qu'à tourner à droite, au bout de la rue du Rendez-Vous, pour gagner le cours de Vincennes. Tandis que le claquement des talons s'éteignait dans la nuit, il me fallut admettre que j'avais été complètement nul. Je n'avais pas fait mieux que mes idoles, Sampras, Pescarolo et Villeneuve.

18

DEUXIÈME LETTRE INTERMINABLE

De loin, je crus qu'il y avait une contravention dans le pare-brise du Volks. En m'approchant, avec les croissants que je venais d'acheter à la boulangerie du haut de la rue, je fus soulagé de voir qu'il s'agissait d'une simple note écrite sur un bout de papier.

C'était un mot des amis de Jack. Ils avaient remarqué la présence du minibus en faisant leurs courses quotidiennes au Franprix et en allant au grand marché qui se tenait le mercredi et le samedi sur le cours de Vincennes. Un peu étonnés de voir que j'étais encore à Paris, ils voulaient m'inviter à manger chez eux, mais le projet avait toujours été remis à plus tard. Enfin une occasion se présentait : ils avaient une lettre pour moi. Je ne recevais plus de courrier depuis un moment, car Françoise était en vacances pour la durée du mois d'août.

La télé était allumée quand je me présentai chez eux, ce soir-là, et ils ne l'éteignirent pas à mon arrivée, ni pendant l'apéro, ni pendant le repas. Au dessert, ils me remirent la lettre : elle venait de Mistassini. Sur l'enveloppe, l'écriture était inconstante, elle penchait à gauche puis à droite, et je devinai qu'il se passait des choses graves à Québec. Le texte commençait pourtant de la même manière que la fois précédente : ma petite sœur profitait de ce qu'elle était seule à la librairie pour m'écrire une autre «lettre interminable». Quelques lignes plus loin, le ton changeait brusquement. Jack avait été attaqué par quelqu'un. J'essayais de savoir ce qui s'était passé au juste, mais il n'était pas facile de se concentrer avec le bavardage incessant du journal télévisé, auquel s'ajoutaient les commentaires des amis de Jack qui dénonçaient la pauvreté des reportages; pourtant ils n'éteignaient pas l'appareil. Pour le moment, je laissai donc mon regard effleurer le texte de Mistassini jusqu'aux dernières phrases où m'attendaient, comme dans la première lettre, des mots qui avaient la douceur du velours. Je fermai les yeux pour mieux les sentir.

— Les nouvelles sont mauvaises? s'inquiétèrent mes hôtes.

— Mais non, dis-je, tout va bien.

— Jack n'est pas malade, au moins?

— Non, non. Il va très bien.

Ils n'insistèrent pas.

Je remis la lettre dans l'enveloppe. J'étais résolu à quitter les amis de Jack et leur télé bruyante, mais c'était déjà l'heure du cinéma. On entendit une belle voix de basse chanter «Si toi aussi tu m'abandonnes», et sur l'écran défilèrent les premières images d'un film que j'aimais beaucoup, *Le train sifflera trois fois*. Gary Cooper cherchait des gens pour combattre un groupe de hors-la-loi dont le chef était un tueur redoutable qui devait arriver par le train de midi; finalement, il se retrouvait tout seul pour affronter la mort.

Cette solitude ne pouvait que me faire penser au vieux Jack et à la *petite poussée* dont nous avions parlé ensemble, à Québec, un soir de printemps. À la fin du film, la chanson thème continua de résonner dans ma tête, entrecoupée par les sifflements du train. Je me levai tout de suite en m'étirant pour montrer que j'avais besoin de bouger. Ils firent comme moi, et alors, m'étonnant à haute voix de la vitesse à laquelle le temps passait, je refusai le dernier verre qu'ils proposaient et je pris congé d'eux en les remerciant pour l'excellent repas et la très agréable soirée; j'étais de nouveau le plus grand menteur du XIIe arrondissement.

Dans le Volks, après avoir fermé les rideaux, j'allumai la meilleure lampe, celle qui avait un tube fluorescent, et je relus la lettre de Miss à tête reposée. Ma sœur avait une façon très personnelle de raconter. Elle donnait une foule de détails, comme si elle avait assisté à toutes les péripéties du drame. Sa narration était très réaliste et c'était facile pour moi de voir ce qu'elle décrivait. J'étais ému et emporté par la vivacité du récit.

Un soir, Jack quitte la librairie en disant qu'il a le goût de se promener en ville. Les jours ont raccourci, le ciel prend déjà un ton violet, mais l'air est encore doux pour la saison. Il porte un petit blouson en jean; dans la poche de gauche se trouve une note expliquant ce qu'il se prépare à faire.

Il flâne à la place d'Youville, interrogeant des vagabonds qu'il a déjà vus à la librairie où ils se réfugient par mauvais temps. On lui répond que c'est à la basse-ville, dans le quartier Saint-Roch, qu'il a les meilleures chances de trouver ce qui l'intéresse. Il prend donc le premier autobus qui descend la côte d'Abraham et il se rend à la place Jacques-Cartier. Et là, marchant au hasard parce qu'il n'est pas venu dans ce secteur depuis des années, il passe une demi-heure à errer dans les rues Saint-Joseph, Notre-Dame-des-Anges et Sainte-Hélène.

Sur le trottoir, en face d'un restaurant, appuyée à un parcomètre, il remarque une fille. Très jeune, elle a les cheveux roux, le teint pâle, une jupe courte et un genre de maillot qui découvre largement son ventre. Ses vêtements, et la nonchalance trop ostensible de son attitude, témoignent du fait que, malgré les apparences, elle est en plein travail.

— C'est cinquante piastres, dit-elle. Un prix spécial parce que c'est toi.

— Bonjour! dit-il. Vous ne vous appelez pas Lola, par hasard?

— Qui c'est qui te l'a dit? demande-t-elle en riant. Qu'est-ce que tu choisis : venir avec moi ou poser des questions?

— Aller avec vous. Si c'est pas trop loin...

— T'es fatigué?

— Je suis vieux.

— Attends, on va t'arranger ça.

Elle se retourne et jette un coup d'œil vers une des fenêtres du restaurant, puis elle fait un signe discret de la main. Jack regarde dans cette direction. Ébloui par le reflet du soleil couchant dans la vitre, il ne voit personne à la fenêtre, mais soudain il aperçoit une sorte de signal : la flamme d'un briquet ou d'une allumette. Quelques instants plus tard, une porte claque sur le côté du restaurant, puis il voit une auto déboucher d'une allée voisine. C'est une auto de collection, une Firebird bleu métallisé. Elle vient se ranger au bord du trottoir, devant le parcomètre auquel la fille est adossée. Un homme au crâne rasé est au volant.

De toute évidence, le récit de Miss était sur le point de se compliquer. Je fis une pause, le temps de me préparer un chocolat chaud. Quand je repris ma lecture, en grignotant un bout de baguette qui m'était resté du matin, Jack demandait à la fille d'attendre une minute et prenait place à côté du conducteur de la Firebird.

Au lieu de dire clairement ce qu'il veut, Jack s'exprime par gestes et par allusions. L'homme au crâne rasé ne comprend rien à ses propos et lui offre toutes sortes de pilules et de stupéfiants. Finalement, Jack allonge le bras comme pour viser quelque chose, alors l'homme se penche en avant et sort un pistolet de sous le siège. C'est un Beretta de calibre 22, un modèle réduit, du genre de ceux que les filles gardent parfois dans leur sac pour se protéger. Jack le dissimule facilement dans la poche de son blouson où se trouve déjà la lettre d'explication. L'homme dit que l'arme est chargée; il lui montre comment elle fonctionne et en indique le prix. Jack lui donne l'argent, sort de l'auto et paye aussi la fille. La Firebird s'éloigne.

— Tu viens? demande la fille.

— Pas tout de suite. J'ai quelque chose d'urgent à faire.

— Alors tu me dois rien.

— Je paye quand même.

— Non!

Elle veut lui redonner les billets. Comme il ne les prend pas, elle les met dans la poche droite de son blouson.

— Merci, dit-il.

— À ta place, dit-elle en tapotant l'autre poche, je me servirais pas de ça.

— J'y penserai. Merci, Lola.

— Tu dis merci, mais tu vas le faire quand même...

— J'en sais rien. En tout cas, c'est très gentil d'avoir essayé. Ça me fait chaud au cœur.

— Il y a de la tristesse dans tes yeux.

— C'est la vie. Salut bien!

— Salut!

D'un geste amical, comme pour lui montrer ce qu'il perd, elle relève sa petite jupe sur une hauteur d'environ un travers de main. Jack sourit, allume deux cigarettes et lui en donne une, et après une légère hésitation, il se dirige vers le plus proche arrêt d'autobus.

De retour à la haute-ville, il passe sous la porte Saint-Jean et, ayant fait quelques pas en direction de sa librairie, il se ravise et entreprend de monter la rue d'Auteuil. La pente est trop raide pour ses jambes fatiguées. Il s'arrête à la terrasse d'un restaurant, à deux pas de la chapelle des Jésuites, et commande une tarte au citron avec un café. Maintenant qu'il peut sentir, dans sa poche, l'objet qu'il désirait depuis un moment, il est très attentif à tout ce qu'il voit : la serveuse se balance en marchant et ses hanches ondoyantes font valser l'air du soir;

certaines lumières, sur le toit des hôtels, se confondent avec les premières étoiles; les contours de la vie se sont adoucis.

Dans le camion, rue du Rendez-Vous, même si je savais que la lettre allait prendre un tour dramatique, je ne pus m'empêcher de sourire à cause des détails que Miss avait choisis.

Comme la serveuse tarde à lui apporter sa note, Jack quitte la terrasse et entre dans le restaurant. En payant son lunch, il aperçoit une femme affalée sur une chaise, devant un verre vide. Elle lève la tête. C'est une petite vieille, aux cheveux gris en désordre.

— Qu'est-ce que tu veux? Ma photo? demande-t-elle d'une voix aussi rugueuse que du papier de verre.

— Excusez-moi, dit Jack.

— T'es pas le propriétaire de la librairie?

— Oui.

— Alors t'as les moyens de me payer une bière.

— Bien sûr.

Il fait signe à la serveuse et celle-ci, avec des gestes courtois, presque affectueux, sert une bière à la femme. Elle boit une longue gorgée, s'essuie les lèvres du revers de la main, puis s'adresse à Jack:

— Tu me reconnais pas?

— Je perds la mémoire, dit-il tristement.

— Dans le temps, j'allais souvent à la librairie. Surtout l'hiver à cause du poêle, mais aussi l'été: tu me prêtais des livres et je pouvais les lire dehors, jusqu'au moment où le soleil se couchait. Le dernier que j'ai lu, c'était un livre de toi... Écris-tu encore?

— Non, dit-il, et il ajoute à voix basse: Autrefois, mes histoires tombaient en ruine à mesure que j'essayais de les écrire. Maintenant, je deviens une ruine moi-même.

— Quand tu marmonnes, on comprend rien.

Il s'excuse et, d'une voix plus nette :

— Si c'est pas indiscret, vous ne faites pas partie du groupe qui occupe la porte Saint-Louis? Le groupe de... comment s'appelle-t-il déjà?

— C'est mon fils, dit-elle fièrement. Il s'appelle Johnny. Tu veux le voir?

— J'ai affaire à lui.

— Ils sont allés sur les Plaines, du côté de l'escalier qui descend sur la terrasse Dufferin. D'habitude ils s'installent dans le grand kiosque, celui qui est en haut de l'escalier, mais si tu les trouves pas, il faut surtout pas t'inquiéter : c'est eux qui vont te trouver!

— Merci, madame.

— Moi, ils m'ont laissée ici parce que je suis trop vieille.

— Et contre la vieillesse, qu'est-ce que vous faites?

— Je bois.

— Ça aide?

— Non. Et toi, qu'est-ce que tu fais?

— C'est pour parler de ça, justement, que je veux voir Johnny.

Sortant du restaurant, il escalade la partie la plus abrupte de la rue d'Auteuil, puis gravit les marches de la porte Dauphine et emprunte le sentier que les piétons ont tracé sur le haut des murs. Il traverse l'espace à ciel ouvert, entouré de murs crénelés, qui se trouve au-dessus de la porte Saint-Louis, où des cartons, des sacs de couchage, des bouteilles vides et des seringues témoignent d'un séjour récent de la bande à Johnny. Plus loin, il débouche sur le grand parc des Plaines. Un talus herbeux, puis un chemin d'asphalte le conduisent au kiosque. Il n'y a personne. Fatigué, il s'allonge sur un banc et s'endort.

Une vive douleur au dos le réveille. Il croit d'abord qu'il s'est fait un lumbago, mais lorsqu'un jet de lumière lui éclaire le visage, il comprend qu'on est en train de l'assaillir. Il sent dans son dos un objet dur et pointu, et cet objet est sûrement le pistolet de Lola puisqu'il ne se trouve plus dans la poche de son blouson.

Tout à coup la douleur cesse et il entend une voix autoritaire :

— Qu'est-ce que tu cherches?

— Vous ne pourriez pas arrêter de m'éclairer? demande-t-il.

La lampe s'éteint. Lorsque ses yeux sont habitués à l'obscurité, Jack peut examiner le chef de la bande. Johnny est un homme de haute stature, large d'épaules, mais sa barbe sombre et touffue et sa casquette de marin font irrésistiblement penser au capitaine Haddock.

L'examen déplaît au chef.

— Quelque chose de drôle? fait-il.

— Mais non, dit Jack.

— Alors on peut savoir ce que tu cherches, oui ou non?

Jack sort de sa poche le papier qu'il a rédigé avant de partir.

— C'est écrit là-dessus.

— Qu'est-ce que t'attends pour le lire? demande le chef en lui donnant la lampe de poche.

— C'est assez personnel, dit Jack. Il y a trop de monde.

— O.K., faites un peu d'air, les gars!

— Merci.

Quand tout le monde s'est éloigné en direction du grand escalier, il déplie le papier et le relit à la lueur de la lampe. Le texte ne contient que trois phrases courtes par lesquelles Jack assume l'entière responsabilité de son geste, mais la formulation, à présent, lui semble un peu déficiente. Prenant son stylo, il rature *avant la déchéance* qu'il remplace par *avant le naufrage*, ce dernier mot étant plus conforme à la tradition québécoise qui consiste à puiser dans la terminologie maritime.

Il remet le texte à Johnny. Le chef en prend connaissance et déclare sans hésiter qu'il comprend ce que Jack attend de lui. Toutefois, il n'est pas d'accord.

— C'est trop risqué, dit-il. Je pourrais passer le reste de ma vie en tôle... Pourquoi je ferais ça?

— Le fric! dit Jack.

Non seulement son portefeuille est bien rempli, mais en plus il a sur lui une carte de crédit et un carnet de chèques. Ébranlé par ces arguments, Johnny lui intime l'ordre de ne pas bouger et va consulter ses compagnons. À son retour, il annonce qu'il a changé d'avis. Maintenant il a l'air pressé.

— Es-tu prêt?

— Bien sûr, mais j'aimerais mieux que ça se passe un peu plus loin, dans l'escalier.

— Pourquoi?

— Pour être plus près du fleuve et pour mieux voir les lumières de la basse-ville et de Lévis.

— Comme tu voudras. Ça va me donner le temps d'arranger les petits détails.

Il congédie tous les membres du groupe, sauf un, qui semble être son adjoint. Les deux hommes encadrent le vieux Jack et se mettent à descendre l'escalier avec lui. Le chef en profite pour effacer les empreintes qu'il a laissées sur la poignée du pistolet. Ensuite il prend l'arme par le canon avec un kleenex et la remet à Jack.

Ils descendent encore plusieurs marches.

— Ici, c'est très bien, dit Jack. La vue est belle.

Il allume une dernière cigarette, en fume la moitié, puis il déclare qu'il est prêt et appuie le canon du pistolet contre sa tempe droite. Il garde les yeux fixés sur les lumières qui brillent de l'autre côté du fleuve, s'attendant à ce que le chef, derrière lui, l'aide à presser la détente... Au lieu de cela, il reçoit un coup violent sur le crâne et perd connaissance.

Lorsqu'il revient à lui, le jour se lève.

Il réussit à se rendre au pied de l'escalier, en partie sur ses jambes, en partie sur ses coudes et

ses genoux. Quand il s'engage sur la longue terrasse Dufferin, la tête lui tourne et il est obligé de
s'étendre sur l'herbe d'un talus. Plus tard, un pro-
meneur matinal l'aide à marcher jusque chez lui.
En voulant lui donner un peu d'argent, il découvre
qu'on lui a pris son portefeuille, sa carte de crédit
et son chéquier. Par contre, il a toujours le pistolet
et la petite note dans la poche de son blouson. Et
il a un sérieux mal de crâne.

Dans la rue du Rendez-Vous, mon chocolat avait
refroidi, le ciel était tout noir et j'avais le cœur pris
comme dans un étau. Je pensais à Jack. Je pensais
à ma petite sœur. J'avais peur de les perdre tous
les deux, il fallait que je rentre.

19

UNE FAUSSE CRAPULE

Mistassini m'attendait à l'aéroport de Québec. Je lui avais dit, au téléphone, de ne pas venir, mais elle était là. Elle se tenait tout de travers, les mains dans le dos, et son sourire timide était irrésistible. Elle me parlait avec ses yeux et j'étais heureux de voir que rien n'avait changé entre nous. C'était comme si nous avions une moitié qui appartenait à l'autre.

— Veux-tu conduire? demanda-t-elle en me tendant une clé. Nous étions arrivés dans le parc de stationnement, à côté d'une vieille auto, une Plymouth Duster des années 1980. Je plaçai ma valise dans le coffre et gardai mon petit sac avec moi.

— J'aime mieux que tu conduises, dis-je.

Elle s'installa au volant, se pencha pour m'ouvrir la portière et je m'assis à côté d'elle en grimaçant à cause des sept heures de vol.

— C'est à qui, cette belle minoune?

— À un ami.

La réponse me donna un pincement au cœur.

— Mais non, dit-elle, pas un ami personnel: un ami de Jack!

Elle tourna la clé et, quand le moteur fut en marche, elle donna plusieurs coups d'accélérateur pour me montrer que l'auto était en forme malgré son âge. Je reconnus que le ronronnement du huit cylindres était très doux, mais bien sûr, c'était à Jack que je pensais.

Dès que la Duster se mit à rouler, quelque chose au milieu de moi commença à se détendre; je n'avais même pas remarqué, jusque-là, que mes muscles étaient tendus. Je sentis qu'il existait une sorte de coïncidence entre mes goûts véritables et tous les détails, beaux ou laids, qui composaient le paysage. L'immensité du ciel, la crudité de la lumière, les galeries des maisons, les piquets de clôture, les fils électriques, les épinettes, et même les lignes blanches sur l'asphalte: tout me convenait, tout me disait que j'étais chez moi.

— Est-ce que ça te convient si je prends le boulevard Duplessis et ensuite le chemin Saint-Louis?

— Bien sûr, mais j'aimerais que...

— Oui, oui, je vais conduire doucement.

Le coude gauche sur le cadre de la fenêtre, elle tenait le volant avec deux doigts de la main droite. Elle roula au ralenti sur le boulevard pour me donner le temps de tout voir et n'augmenta pas son allure sur le chemin Saint-Louis, malgré la file de voitures qui nous suivait, pour me permettre de saluer les chênes qui bordaient cette route sinueuse et plus ancienne. J'allongeai le bras et caressai le duvet très fin qu'elle avait dans le cou, et alors, inclinant la tête à droite, elle frotta sa joue contre le revers de ma main.

Tout allait bien, j'étais presque heureux, mais ce bien-être ne dura pas. L'inquiétude, en sommeil depuis mon arrivée, se réveilla au moment où nous arrivions à la rue d'Auteuil.

— Est-ce qu'il va bien? demandai-je, car la question me brûlait les lèvres.

— Assez bien, dit-elle.

J'attendais des explications. Elle n'en donna pas, alors je pensai que peut-être elle ne voulait pas m'accabler immédiatement de soucis. Je la remerciai d'un sourire et, continuant de regarder autour de moi, je me rendis compte que le Vieux-Québec, au contraire de ce qu'on disait dans les guides touristiques, avait peu de choses en commun avec les villes françaises, du moins celles que j'avais visitées : les trottoirs, les escaliers extérieurs, les devantures des boutiques, le nombre d'étages, les volets, la couleur des pierres et des toitures, presque tout était différent; le Vieux-Québec ne ressemblait qu'à lui-même, et c'était amplement suffisant.

— Ça va? demanda-t-elle sur un ton léger, comme si elle voyait les choses à travers mes yeux.

— Très bien, dis-je.

— Qu'est-ce qui te ferait plaisir?

Je la regardai du coin de l'œil pour essayer de voir s'il y avait un sous-entendu dans sa question. La plupart du temps il n'y en avait pas, car Miss était d'une franchise totale, mais avec mon esprit tordu, je ne pouvais m'empêcher de vérifier. À tout hasard, je demandai :

— Et toi?

— Non, c'est toi qui décides, dit-elle.

— D'accord. Je suppose qu'il est à la librairie en ce moment?

— Oui. Il a dit que tu pouvais aller chez lui pour te reposer. Ça te convient? Tu peux même dormir un peu si tu en as envie, et on viendra manger avec toi ce soir.

La proposition me convenait. Je n'avais dormi ni dans l'avion, où ma voisine, une corpulente et bavarde mère de famille, avait en quelque sorte débordé sur moi, me confiant même son bébé pendant qu'elle allait aux toilettes, ni la nuit d'avant chez les amis parisiens de Jack, à qui j'avais laissé quelques affaires, un message pour la belle Françoise et les clés du Volks.

— Tu montes? demandai-je à Miss quand elle eut rangé la Duster en face de chez Jack, dans la rue des Remparts. Elle haussa les épaules. Seulement une minute! insistai-je sur un ton plaintif. Mon cœur allait se briser en mille morceaux si elle ne disait pas oui tout de suite, et les morceaux allaient dégringoler la côte de la Canoterie en bondissant jusque dans l'eau du fleuve.

— Bon, une petite minute, dit-elle finalement.

Je sortis mon gros sac de la voiture. Elle voulut me le prendre des mains pour le monter dans l'appartement, mais je résistai tout en la regardant dans les yeux, ses yeux bleus si lumineux et transparents qu'il m'arrivait parfois de tourner la tête pour ne pas les voir en face. J'étais loin d'avoir sa franchise. À l'époque assez tumultueuse de ma vie étudiante, j'avais même essayé de devenir une vraie crapule; mes efforts avaient échoué et je m'étais rendu compte que l'excellente éducation reçue dans ma famille ne me laissait pas d'autre choix que d'être un *nice guy*.

Chez Jack, en posant le sac à côté du canapé, dans la bibliothèque, je sentis d'un coup la fatigue du voyage s'abattre sur moi.

— Veux-tu manger quelque chose? demanda Miss. Elle était dans la cuisine, j'avais entendu s'ouvrir la porte du frigo.

— Quoi, par exemple?

— Une pointe de tarte aux fraises... Des fraises de l'île d'Orléans!...

— Avec de la crème glacée à la vanille?

— Oui.

— Ça me plairait beaucoup mais, pour commencer, je vais prendre une douche parce que j'ai mal partout!

L'eau chaude était ce qu'il y avait de mieux pour détendre complètement mes muscles. Et puis, j'avais en tête une phrase d'Épictète : «Pour le plaisir sexuel (...) il s'agit de prendre sa part de ce qui est permis.» Je me disais que si je me plaignais à voix haute de mes contractures en prenant ma douche, Miss allait venir voir et s'offrirait peut-être à me masser le dos. Donc j'ouvris les robinets et commençai à gémir assez fort pour couvrir le bruit de l'eau, m'arrêtant pour écouter s'il y avait une réaction; je n'avais pas fermé la porte de la salle de bain.

Finalement, j'entendis la voix de Miss.

— J'arrive! dit-elle. Il y eut des pas précipités et sa voix, d'abord lointaine, se rapprocha. Je peux entrer? demanda-t-elle.

— Bien sûr, dis-je en fermant les deux robinets.

— Tu t'es fait mal?

— Non. J'ai les muscles endoloris à cause de l'avion.

— Où ça?

— Juste ici!

Je lui montrai du doigt ma région lombaire, ou plus exactement le haut des fesses. Elle ne pouvait rien voir, bien sûr, le rideau de la douche étant fermé, mais justement, si tout se passait comme prévu, elle allait ouvrir le rideau pour se rendre compte. C'est ce qu'elle fit, après avoir demandé la permission. Une sorte d'instinct, plus fort à mon grand regret que mes idées lubriques, m'obligea à lui tourner carrément le dos : c'est à ce genre de choses que je pense quand je dis que je ne suis pas une vraie crapule.

Elle entra dans la douche avec moi et, plaçant ses deux mains sur mes hanches, elle se mit à masser avec ses pouces, qui décrivaient de petits cercles, un muscle dont Jack m'avait parlé et que les spécialistes appelaient le pyramidal du bassin. Étant une joueuse de tennis, elle avait une grande force dans les doigts, mais aussi de la douceur et de la chaleur. Elle me faisait beaucoup de bien, même si une certaine douleur se mêlait au plaisir quand elle appuyait fort sur le muscle contracté ; je me serais laissé faire toute la journée.

— Ça me fait beaucoup de bien, dis-je, tout en sachant que cette déclaration était superflue puisque je ronronnais comme un chat depuis cinq minutes.

— Tant mieux, dit-elle. Je peux faire autre chose?

— Oui...

Sans me retourner, je posai mes mains sur les siennes. Je lui parlais avec des gestes parce que les mots qui me venaient à l'esprit étaient démesurés : je veux dire, au lieu d'être en harmonie avec les sentiments, les mots étaient toujours un ton au-dessus. Je guidais ses mains et elle me laissait faire. Ensuite, elle se mit d'elle-même à me caresser le dos. J'avais très envie de me retourner et c'est ce que j'allais faire, ayant rassemblé mon courage, quand elle m'entoura de ses bras et se colla à mon dos. Elle laissait ses mains errer sur mon ventre et, en même temps, elle frottait sa joue contre mon épaule. Par moments, elle m'embrassait dans le cou, faisant naître un frisson qui courait jusqu'au bas de ma colonne.

Si nos caresses avaient quelque chose de particulier, c'était peut-être le fait qu'elles ne constituaient pas une étape à franchir pour aller plus loin. Nous pouvions nous caresser très longtemps sans nous lasser et sans avoir envie de passer à autre chose. Mais, ce jour-là, ma petite sœur n'avait pas l'esprit libre :

— Il faut que je retourne à la librairie, dit-elle en m'embrassant derrière l'épaule.

— Je comprends, dis-je.

— Sinon, il pourrait s'inquiéter.

— Ça veut dire qu'il ne va pas bien ?

Elle hésita un instant.

— C'est mieux de ne pas le laisser seul trop longtemps, dit-elle.

— Je vais t'aider.

— Oui, mais pour commencer, tu vas dormir un peu.

— D'accord. Veux-tu me passer la serviette ?

Elle fit ce que je lui demandais. C'était la grande serviette de Jack, celle où il y avait une reproduction de la maison d'Hemingway à Key West. Quand elle me la tendit, je fis semblant de tomber dans la lune et, comme je l'espérais, elle prit le temps de me sécher des pieds à la tête. Sauf que toute l'opération ne dura pas plus d'une minute pour la simple raison que j'étais presque sec avant qu'elle ne débute.

— À ce soir, dit-elle ensuite. Repose-toi bien. La pointe de tarte est sur la table.

— Merci, p'tite sœur.

Avec le décalage horaire, l'eau chaude et les caresses, j'avais le cerveau tout ramolli; le cœur et tout le reste, y compris la libido, ne valaient guère mieux. Mes gestes étaient lents comme ceux d'un somnambule.

Je mis le peignoir de Jack et ses pantoufles doublées de mouton, trop grandes pour moi. Avant d'aller manger ma tarte aux fraises, je m'arrêtai à la bibliothèque. Des dictionnaires étaient étalés sur le bureau. J'ouvris le *Petit Robert des noms propres* et, sous l'inscription *Hemingway, Ernest,* je lus que cet auteur s'était tiré une balle dans la tête quand il allait avoir soixante-deux ans. C'était l'âge que Jack venait d'atteindre.

Dans la cuisine, la pointe de tarte aux fraises était sur la table avec une boule de crème glacée à la vanille, comme l'avait dit ma petite sœur. Elle l'avait mise au four quelques instants pour qu'elle tiédisse et que la crème glacée devienne fondante : elle connaissait mes petites manies. Je suis toujours un peu frileux après une douche, alors j'ouvris la porte du four pour profiter de la chaleur qui restait.

20

JACK ET LA LAMPE MERVEILLEUSE

Jack était convoqué à l'Hôtel-Dieu pour le samedi matin à dix heures. Il ne demanda pas mon aide ni celle de Miss, mais comme son visage se décomposait à mesure que la date approchait, je résolus de l'accompagner.

En face de nous, dans la salle d'attente du département de gérontologie, il y avait une famille composée d'un vieillard, d'une femme dans la quarantaine et d'une fillette. La pièce était décorée de tableaux montrant des paysages de Charlevoix en automne; sur une table en coin, on trouvait une pile de magazines ainsi que des livres pour enfants et quelques jouets.

Le vieillard était assis juste en face de Jack. Une odeur d'urine, faible mais âcre, se dégageait de lui et me mettait mal à l'aise. Il regardait Jack, apparemment sans le voir, et celui-ci, aussi gêné que moi, gardait les yeux baissés.

La femme regarda sa montre, puis sortit un livre de son sac. Je reconnus le recueil de nouvelles *La Fêlure*, de Scott Fitzgerald, que nous avions lu, Miss et moi, deux semaines plus tôt. Le livre nous avait fortement impressionnés par son écriture, légère et précise, qui exerçait sur nous un effet magique, une sorte de fascination, comme une enseigne au néon aperçue de loin dans la nuit. Je me levai pour aller prendre un magazine et, en passant devant la femme, je vis qu'elle était rendue à l'avant-dernier chapitre, intitulé «L'après-midi d'un écrivain». Encore quelques pages et elle allait arriver au chapitre qui donnait son nom au livre, et dont la première phrase, inoubliable, vous atteignait comme un coup de poing à l'estomac :

Toute vie est bien entendu un processus de démolition.

Tandis que je me demandais comment la femme allait réagir à cette phrase, la fillette descendit de sa chaise et alla choisir un album de dessins à colorier. À mon avis, elle avait cinq ou six ans, mais je me trompe souvent dans ce genre de choses. Ses yeux étaient brun foncé, presque noirs, trop grands pour son visage. Elle avait les cheveux blonds avec deux nattes décorées de perles multicolores ; elle portait une robe fleurie et des souliers blancs.

L'album de dessins à la main, elle se tourna d'abord vers le grand-père. Elle ouvrit la bouche comme pour lui poser une question, puis se ravisant, elle regarda sa mère. Celle-ci, au bout d'un moment, leva la tête et d'une voix douce lui suggéra d'utiliser les crayons de couleur qui se trouvaient sur la table. Faisant une grimace comique, la fillette prit la boîte de crayons, la plaça sur une chaise et s'assit, les jambes à l'horizontale, sur la chaise voisine.

Mes yeux allaient de la mère à la fille. Les sourcils froncés, la mère lisait très lentement, revenant parfois en arrière. La fille copiait l'air soucieux de sa mère et choisissait ses couleurs avec soin ; je ne pus m'empêcher de sourire en la voyant colorier un éléphant en bleu, un tigre en rouge et une gazelle en violet. Elle commença à mettre des taches vertes sur une girafe dont la tête émergeait d'une rangée d'arbres, puis sans raison apparente, elle s'arrêta. Ayant remis son crayon vert dans la boîte, elle s'approcha de sa mère et lui montra les animaux.

La mère examina brièvement le dessin.

— C'est très bien, assura-t-elle. Les éléphants bleus sont les plus beaux du monde.

— Oui, dit la fillette, mais je voudrais que tu me racontes l'histoire.

— Quelle histoire?

Elle s'était replongée dans le livre de Fitzgerald. Elle était rendue au dernier chapitre et je vis ses yeux s'arrondir quand elle lut la fameuse phrase.

— L'histoire de l'éléphant et de la girafe, et comment ils font pour entrer dans la petite maison qui est dans la jungle et tout ça!

— Tout à l'heure. Maman est occupée.

La petite fille tira sa mère par le bras, l'obligeant à se pencher, et elle lui murmura quelque chose à l'oreille: je distinguai le mot «pépé». Elle ne parlait pas de son grand-père, mais plutôt de Jack, car ce fut vers celui-ci que la mère jeta un coup d'œil.

— D'accord, dit la mère en se redressant, à la condition que tu sois gentille avec lui et que tu ne passes pas ton temps à demander «pourquoi?»

— Combien de fois?

La mère leva trois doigts de sa main gauche. La fillette soupira et fit oui de la tête, puis elle alla trouver Jack avec son cahier ouvert. Il avait changé de place: assis sur la dernière chaise, au fond de la pièce, il regardait par la fenêtre.

— Qu'est-ce que tu regardes? demanda-t-elle.

— Le ciel, dit Jack.

— Pourquoi?

— Parce que c'est beau.

— C'est là qu'on va quand on est trop vieux?

— Qui a dit ça?

— Maman.

— Alors, c'est sûrement vrai.

La petite fille chuchotait mais en forçant un peu sa voix, et j'entendais facilement ce qu'elle disait. Elle s'assit à côté de Jack et demanda:

— T'es un pépé, toi aussi?

— Bien sûr, dit Jack après une courte hésitation. Ça ne se voit pas?

— Le mien, mon pépé, on peut pas lui demander de raconter des histoires.

— Ah non?

— Non. Il a oublié comment on fait.

— C'est des choses qui arrivent...

Jack leva les yeux au ciel et, à son air dépité, je compris qu'il n'était pas content de sa réponse et qu'il se trouvait nul.

— Il a oublié toutes sortes de choses, reprit la fillette en chuchotant toujours aussi fort.

— C'est vrai?

— Oui. Il a oublié comment on fait pour manger tout seul. C'est maman qui le fait manger avec une cuiller comme moi quand j'étais petite.

Jack ne fit aucun commentaire. La fillette chuchota autre chose, d'une voix plus faible : il me sembla entendre «pépé» ou «pépère». Jack, qui avait l'oreille un peu dure, lui fit répéter, et cette fois j'eus l'impression assez nette, même si je n'aurais pu le jurer, qu'elle prononçait avec un drôle d'accent le mot *pampers*.

Dans la salle d'attente, personne ne parut attacher de l'importance à ce qui venait d'être dit. Le vieillard, tassé sur lui-même comme un sac en jute, avait toujours l'air absent. La mère était repartie dans l'univers des femmes blondes et fragiles de Fitzgerald. Quant à moi, n'osant rien dire, j'espérais que Jack n'allait pas se laisser démolir par la naïveté de la petite fille. Je fus quelque peu rassuré quand il demanda :

— Tu voulais que je te raconte une histoire?

— Oui, dit-elle en lui remettant son cahier ouvert à la page qu'elle venait de colorier.

— Je vois ce que c'est, dit-il, mais si tu permets, je vais quand même consulter le jeune homme qui est là-bas.

— Pourquoi?

— Pour tenir un conciliabule.

— C'est quoi, un conciliabule?

— C'est quand on se met à plusieurs pour raconter une histoire.

La fillette me fit signe, avec son doigt recourbé, de venir tout près. Je pris place à côté d'elle. Jack, assis de l'autre côté, lui posa le cahier sur les genoux et je me penchai pour examiner les dessins.

— Je vois ce que c'est, déclarai-je à mon tour. C'est l'histoire de l'Arche de Noé. Tu connais l'histoire de notre grand-père Noé et de son Arche?

— Évidemment! Je ne suis pas un bébé! s'exclama-t-elle. Et pour en donner la preuve, elle se mit à chanter la chanson qui commence par «C'est notre grand-père Noé, patriarche digne». Elle chanta quelques couplets, toujours sur le mode du chuchotement, et je m'abstins de lui faire observer qu'elle confondait par moments les paroles avec celles d'une autre chanson où il était question d'un petit navire qui faisait «un long voyage sur la mer Mé-Mé-Méditerranée». Quand elle eut fini, je racontai:

— Cela faisait très longtemps que l'Arche de Noé voguait sur la mer. Il n'y avait presque pas de vent, alors elle n'avançait pas beaucoup. La pluie avait cessé et les animaux n'avaient plus rien à boire ni à manger. Le grand-père Noé avait demandé aux éléphants de pomper l'eau de la mer avec leur trompe, et comme l'eau de la Méditerranée est bleue, ils étaient eux-mêmes devenus tout bleus!

La petite fille éclata d'un rire qui sonna haut et clair, même si elle avait mis les deux mains devant sa bouche. Son rire n'avait pas fini de se répercuter sur les murs et dans le couloir, lorsqu'une infirmière arriva. Elle emmena le vieillard, et la mère leur emboîta le pas après nous avoir demandé de veiller quelques minutes sur sa fille; elle tenait à la main une valise qu'elle avait sortie de sous la table en coin, où elle était dissimulée parmi les jouets les plus encombrants.

J'ouvris la fenêtre toute grande pour dissiper l'odeur qui flottait encore dans la pièce.

Une quinzaine de minutes plus tard, la femme revint, seule et les yeux rougis. Elle fit néanmoins un petit sourire à sa fille quand celle-ci refusa de partir.

— L'histoire n'est pas finie! protesta-t-elle.

Jack et moi, l'un relayant l'autre, nous nous étions embarqués dans une histoire de zouaves. L'Arche de Noé avait abordé dans une île mystérieuse où les indigènes, en apercevant les animaux, avaient abandonné leurs cabanes pour se cacher dans la forêt. Comme le déluge avait repris, les animaux avaient cherché refuge dans les cabanes vides, et nous avions arraché des gloussements de plaisir à la fillette en lui racontant comment la girafe sortait sa tête par une cheminée pour brouter les hautes branches des arbres, ce qui rendait les taches de sa peau de plus en plus vertes.

Pendant que nous nous creusions la tête pour trouver une explication plausible à la couleur rouge du tigre, l'infirmière vint chercher Jack. Il y avait un tel désarroi dans les yeux de mon vieil ami que je décidai d'aller avec lui. Je dis au revoir à la fillette et à sa mère, et l'infirmière nous conduisit jusqu'à une salle d'examens près de laquelle se trouvait une cabine de déshabillage. Elle fit entrer Jack dans la cabine, me priant d'attendre dans le couloir. J'obéis à contrecœur, mais un simple coup d'œil dans la salle d'examens me permit de constater qu'elle ne contenait rien d'inquiétant: une table à positions multiples, un appareil échographique muni de plusieurs écrans et un second appareil, plus petit, sur lequel l'inscription anglaise *Uroflowmetry* indiquait qu'on allait procéder à l'examen de son système urinaire.

En sortant de la salle, au bout d'une bonne heure, Jack confirma qu'il avait bien subi ce type d'examen, de même qu'une analyse sanguine et une radiographie de la colonne. C'étaient des vérifications normales, à mon avis, si l'on tenait compte de son âge. Quand je lui demandai des précisions, toutefois, il me prit par le bras et m'entraîna dans les escaliers en jetant des regards furtifs autour de lui. Et dehors, tandis que nous marchions au pas accéléré vers son appartement, il raconta qu'en plus des examens, il avait été soumis à un test de mémoire où il fallait retenir des séries de chiffres de plus en plus longues et à un test de personnalité comportant l'exécution de plusieurs dessins, dont un paysage, un arbre et un autoportrait.

D'après lui, ces examens avaient pour but d'établir s'il était encore productif ou non. Il avait l'impression d'avoir tout raté. Pour se venger du gérontologue, à la fin de l'entrevue, il avait fait exprès de tenir des propos déroutants. Il avait déclaré qu'il voulait être incinéré, et lorsque le spécialiste l'avait interrogé sur ses raisons, il avait répondu que l'urne contenant ses cendres allait sans doute être remisée dans un placard où elle serait oubliée pendant de longues années... Mais un beau jour, une femme de ménage très pauvre la retrouverait et, tout naturellement, elle ferait le geste de la frotter pour enlever la poussière, et alors, comme dans l'histoire d'*Aladin ou la lampe merveilleuse,* il sortirait de l'urne sous la forme d'un bon génie tout disposé à exaucer ses vœux, même les plus extravagants.

21

UN FANTÔME

Il fallut se rendre à l'évidence : Jack avait un contact intermittent avec la réalité. À tout moment, ce contact risquait de sauter comme un fusible, et nous n'avions pas appris, Miss et moi, à reconnaître les signes avant-coureurs de la rupture.

Déjà, un incident s'était produit au cours d'une fête que Jack avait organisée au lendemain de mon retour. La fête avait eu lieu à la librairie. Comme il détestait les vedettes, les auteurs médiatiques et tous les gens en mal de notoriété, Jack avait invité les clients habituels et quelques sans-abri de la place d'Youville. Parmi ces derniers se trouvait la femme maigre aux cheveux gris qu'il avait rencontrée dans un restaurant de la rue d'Auteuil, juste avant son agression nocturne dans le grand escalier de la terrasse Dufferin.

Nous avions allumé le poêle uniquement pour l'odeur et les craquements du bois ; il ne faisait pas froid. Avec le vin et la bière, il y avait de l'ambiance et même du chahut, pour le plus grand plaisir de tous, sauf de Charabia qui avait quitté le tiroir du bureau pour se jucher sur la plus haute des étagères. J'étais censé être le centre d'intérêt, mais par bonheur, tous les regards se portaient sur Miss : elle avait mis son tee-shirt bleu des anciens Nordiques de Québec qui soulignait ses os pointus et ses petites rondeurs.

Comme les autres, la femme maigre était distraite par le tee-shirt. Elle avait bu une forte quantité de vin et de bière, et on voyait qu'elle faisait des efforts pour se souvenir de quelque chose.

— J'ai un livre dans la tête! déclara-t-elle brusquement.

— Quel genre de livre? demanda Miss.

Nous étions tous les trois autour d'elle, Jack, Miss et moi. Ce n'était pas une situation nouvelle pour nous. Combien de fois, en effet, avions-nous accueilli des gens qui cherchaient un volume dont ils avaient oublié le titre et l'auteur et qui ne pouvaient nous fournir que de vagues indices, comme la grosseur ou la couleur du livre! Donner satisfaction à cette sorte de lecteurs est une des tâches les plus difficiles du métier de libraire.

— Un livre avec plusieurs histoires séparées, expliqua-t-elle. Et dans une des histoires, il y a une femme qui s'est perdue en roulant sur un chemin de campagne, au bout du monde, et qui aperçoit des collines bleues... Attendez un peu, ça me revient: «Une chaîne de petites collines bleues, à moitié transparentes». Cette phrase, je m'en souviens parce que, dans le temps, je l'avais apprise par cœur. Par contre, j'ai oublié le titre du livre...

C'est à ce moment-là que l'incident s'était produit. Selon Jack, il s'agissait d'une phrase de son dernier livre. Miss n'avait pas osé le contredire, mais à la fin de la soirée, pendant que nous faisions un peu de ménage et qu'il s'était éloigné pour donner du lait à Charabia dans la Parenthèse, elle m'avait montré que la phrase venait d'un livre de Gabrielle Roy, *La Route d'Altamont*. C'était la deuxième fois qu'il commettait ce genre d'erreurs.

Quelques semaines plus tard, il y eut une nouvelle alerte. C'était le soir, j'étais seul à la librairie avec le chat: Miss avait reconduit le vieux Jack et n'était pas encore revenue. Il était onze heures passées. Elle ne disait jamais à quelle heure elle allait rentrer, et parfois elle ne rentrait pas du tout, mais cette fois j'étais tourmenté par le doute et l'inquiétude. Incapable de lire ou de travailler, je faisais les cent pas, m'arrêtant devant la vitrine et m'étirant le cou pour voir si elle n'était pas là, tout près, en train de remonter la rue Saint-Jean. Une pluie fine, poussée par le vent, tombait en diagonale.

Quand le téléphone sonna, je sus tout de suite qu'il était arrivé quelque chose. C'était Miss. Elle était encore chez Jack et me demandait de venir. Le ton de sa voix disait que c'était urgent. Le plus vite possible, je donnai à Charabia des croquettes et du lait pour deux repas et, ayant mis dans un sac en plastique ma brosse à dents, celle de Miss et les deux tee-shirts que nous utilisions comme pyjamas, j'allais me précipiter dehors lorsqu'une idée m'arrêta net. C'était une idée mesquine et je n'étais pas fier de moi, mais je n'avais pas le temps de peser le pour et le contre : retournant dans la Parenthèse, je remis le tee-shirt de Miss à sa place sur la poignée de la porte, comme si j'avais oublié de le prendre, et je sortis en toute hâte. Après avoir descendu la rue Saint-Jean au pas de course, je pris à la file les rues Couillard et de l'Université qui menaient droit à l'appartement de Jack. Le vent avait chassé les nuages, je vis que la lune était presque pleine.

Miss m'attendait sur le palier auquel aboutissaient les premières marches. Elle me dit bonsoir et n'ajouta rien d'autre. Comme il m'était impossible de lire dans ses yeux, presque fermés à cause de la fatigue, je l'interrogeai du regard. Elle murmura quelques bribes de phrases : le fusible de Jack avait sauté, c'était sérieux sans être dramatique, il suffisait peut-être de rester avec lui jusqu'à ce qu'il se reprenne.

Même s'il était tard, Jack travaillait dans la bibliothèque. Il se tenait debout, selon son habitude, ou plutôt mi-debout mi-assis, le dos appuyé à une commode surmontée d'une petite étagère, et il était accoudé à la caisse en plastique rouge qu'il installait sur sa table de travail. Son cahier d'écriture était posé devant lui sur la caisse. Il avait un stylo à la main, les yeux dans le vague. Il secoua la tête en me voyant.

— Je n'ai pas fini ma traduction, dit-il tristement.

— C'est pas grave, dis-je.

— J'avais promis le texte à l'éditeur avant l'hiver...

— Vous avez le temps : on n'a pas encore vu le moindre brin de neige !

— Mais l'éditeur est venu ! Tu ne l'as pas rencontré en arrivant ?

— Non.

— Ça veut dire qu'il est allé chez Gabrielle.

— Ah oui, vous avez le même éditeur...

Quand je pris place à côté de Miss sur un canapé, elle me gratifia d'un regard de mère poule qui, pourtant, n'était pas du tout son genre ; son genre, c'était plutôt l'indépendance, la liberté, quelque chose comme ça. Elle voulait me remercier d'avoir trouvé le ton qui convenait avec Jack, et son regard était aussi chaleureux qu'une écharpe de laine.

Le silence se prolongeait. Pour dire quelque chose, je me tournai vers Jack et lui demandai :

— Vous travaillez tard le soir ?

— Je suis obligé, dit-il. Depuis plusieurs semaines, les mots justes sont plus difficiles à trouver. Ils viennent goutte à goutte. J'ai l'impression d'être un puits à sec, mais je n'ai pas le droit de renoncer : trouver les mots justes, c'est une politesse qu'on fait au lecteur... Est-ce qu'il y a de la lumière là-bas, de l'autre côté de la terrasse ?

Miss se leva et se rendit dans la cuisine, où la porte-fenêtre donnait sur la terrasse et sur les deux marches conduisant à la chambre mystérieuse.

— Non, il n'y a pas de lumière, dit-elle en revenant.

— Alors ils sont partis ensemble. Ils ont vu que je travaillais et ils n'ont pas voulu me déranger. C'est gentil de leur part.

— Maintenant, vous préférez peut-être qu'on vous laisse travailler?

— Non, je m'arrête. *I'll call it a day,* comme disait mon ami de Key West, quand je passais l'hiver dans ce coin-là. Est-ce que tu serais capable de traduire cette phrase?

C'était à moi qu'il s'adressait. Je connaissais la traduction, mais je fis semblant de me casser la tête une minute ou deux.

— Je sais, dis-je finalement: *Ça suffit pour aujourd'hui.*

— *Very good!* Mais, à Key West, comme le temps était presque toujours ensoleillé et chaud, il n'était pas plus de midi quand mon ami prononçait sa petite phrase. Ensuite, nous allions à la pêche.

— Quel genre de pêche? demandai-je, un peu inquiet.

— La pêche au gros. On allait d'abord chez lui, dans sa grande maison entourée d'un mur de briques et envahie par les chats; on préparait le matériel de pêche et les sandwiches, et puis on partait pour le Gulf Stream dans son bateau qui s'appelait...

Les mains jointes devant son visage, les coudes appuyés sur sa caisse en plastique, il fouillait dans sa mémoire de toutes ses forces, mais le nom du bateau était perdu dans le brouillard qui enveloppait les eaux chaudes du détroit de Floride, quelque part entre Key West et Cuba. Un long moment il persista dans son effort; ce fut en vain.

— Je ne me rappelle pas, dit-il.

— Ça ne fait rien, dit Miss. Je devinai à son air triste, et parce que je lis presque toujours dans ses pensées, qu'elle connaissait le nom du bateau aussi bien que moi et qu'elle préférait se taire pour ne pas humilier le vieux Jack.

— Ma mémoire est pleine de trous, dit-il. En plus, je ne me sens pas très bien: je suis vieux à l'extérieur et jeune à l'intérieur, et ce soir le contraste entre les deux me fait comme une déchirure.

Ses propos étaient pessimistes, mais le ton était plutôt celui d'une simple constatation. C'était le signe qu'il reprenait peu à peu contact avec la réalité. S'il divagua encore deux ou trois fois en fin de soirée, ce fut seulement en parlant de Gabrielle, et sur ce point précis, nous étions habitués à ses écarts de langage.

Par prudence, toutefois, nous décidâmes de passer la nuit. Malgré la fatigue, Jack n'avait pas sommeil. Il fit jouer des chansons d'autrefois, celles qu'il écoutait dans le but d'exercer sa mémoire, et il se mit à déambuler dans l'appartement, allant de sa chambre à la salle de séjour, qui donnait sur le fleuve, et s'arrêtant devant la porte-fenêtre de la cuisine pour jeter un regard anxieux vers la pièce située de l'autre côté de la terrasse.

Ces derniers temps, Miss s'était beaucoup dépensée et il y avait maintenant, parmi nos clients réguliers, tout un réseau de gens qui savaient par cœur les chansons de Jack. Au moindre signe d'amnésie, il pouvait faire appel à ces personnes : elles lui chantaient les paroles sans se tromper et il était réconforté autant par la chaleur de leur voix que par leur mémoire. La caissière du Richelieu avait appris *Quand les hommes vivront d'amour*, de Raymond Lévesque ; l'infirmière de l'Hôtel-Dieu connaissait *La Complainte de la Butte*, qui parlait de Montmartre, de la rue Saint-Vincent, des escaliers trop raides et des moulins protégeant les amoureux ; Miss était la spécialiste du *Petit Bonheur*, de Félix Leclerc, et moi je pouvais chanter *La Chanson de Prévert*, écrite par Gainsbourg, qui avait mis toute la mélancolie de son âme dans cette phrase : « Jour après jour, les amours mortes n'en finissent pas de mourir. » Et Jack, sans doute en hommage à Bradbury, se plaisait à désigner chacun des membres du réseau par le nom de la chanson qu'il avait apprise.

Depuis le temps qu'il les faisait tourner, Miss et moi connaissions par cœur la plupart des chansons de Jack. Nous les chantions avec lui, ce soir-là. Lorsqu'il fit jouer la chanson de Raymond Lévesque, je laissai ma sœur chanter seule avec lui. Elle avait une voix si limpide, si incroyablement pure qu'on oubliait de respirer en l'écoutant. Son regard se voila quand elle arriva aux mots «mais nous, nous serons morts, mon frère», et je devinai qu'elle songeait à la *petite poussée* dont Jack m'avait parlé.

Ensuite, Jack mit un des premiers disques de Léo Ferré, celui où il n'y avait que des poèmes d'Aragon. Tandis que je l'aidais à se souvenir des paroles, Miss me fit signe qu'elle allait prendre une douche, et mon cœur s'emballa. Elle fouilla dans mon sac en plastique, sortit sa brosse à dents et, ne trouvant pas son tee-shirt aux couleurs des anciens Nordiques, elle prit le mien sans hésiter une seconde. En passant devant moi, elle me jeta un regard courroucé. Je m'attendais à une colère, mais c'était pour rire : elle noua ses bras autour de mon cou, frotta son nez contre le mien. Ses yeux moqueurs disaient qu'elle ne m'en voulait pas.

Le reste de la soirée, je filai doux et tâchai de me faire oublier. Je lui laissai le soin de prendre les décisions concernant l'endroit et le moment où nous allions dormir. Je me douchai et, pour remplacer mon tee-shirt, j'empruntai à Jack un chandail qui me descendait à mi-cuisses, puis j'aidai ma sœur à transformer le canapé de la bibliothèque en lit à deux places. Jack était plus calme, il bâillait et ses yeux commençaient à se fermer. Pour souhaiter bonne nuit à ma sœur, il l'enlaça et la serra fort contre lui en mettant une main au milieu de son dos et l'autre à la naissance de ses petites fesses. Comme elle est encore plus maigre que moi, elle était pliée en arrière, à la manière d'un arc tendu par une corde, et il n'y avait pas un centimètre d'elle qui n'était pas collé à lui; mais je n'étais pas jaloux, je le jure.

Jack rassembla les objets dont il avait besoin pour la nuit : livre, réveil, lampe de poche, pilules, eau minérale, transistor. Avant de se coucher, il alluma une cigarette et fit tourner un dernier disque : la *Chanson pour l'Auvergnat*, de Brassens. Il aimait en particulier le couplet qui disait :

> *Ce n'était rien qu'un peu de miel*
> *Mais il m'avait chauffé le corps*
> *Et dans mon âme il brûle encore*
> *À la manière d'un grand soleil*

Et lorsque le chanteur répéta pour la dernière fois : «Qu'il te conduise à travers ciel au Père éternel», Jack se retira, l'air plutôt serein. Miss l'accompagna jusqu'à sa chambre, lui chuchota quelque chose mais n'entra pas, et il referma sa porte. Elle revint à l'entrée de la bibliothèque et s'arrêta, le doigt sur l'interrupteur. Assis sur le lit que nous venions de faire ensemble, j'attendais qu'elle éteigne la lumière pour enlever le chandail qui était mon seul vêtement. Dans ses yeux, moqueurs comme auparavant, je crus voir, se mêlant à la fatigue et aux soucis, quelque chose qui me parut aussi doux que le miel de la chanson de Brassens. Elle n'avait pas l'intention d'éteindre, elle me lançait une sorte de défi. D'abord, je fis semblant de ne pas savoir quelle contenance adopter, et puis je me levai et retirai le chandail avec des gestes ralentis comme au cinéma, et je le posai sur un fauteuil après l'avoir plié soigneusement. Elle ne dit rien, ne fit pas un geste, mais son regard était accroché à moi tandis que, m'efforçant de garder un minimum de dignité, je regagnais lentement le lit pour me glisser sous les draps.

J'étais partagé entre le plaisir et la crainte : les petites crapules de mon espèce aiment bien ce qui est un peu trouble, la confusion des sentiments, le mélange entre chien et loup.

Elle éteignit la lumière et me rejoignit.

Au milieu de la nuit, elle bougea dans son sommeil et je me réveillai. Nous étions dos à dos.

Tout à coup elle se retourna et se blottit contre moi; elle faisait peut-être un mauvais rêve. Au lieu de rester immobile comme d'habitude, je passai un bras derrière elle et, me tournant à moitié sur le dos, je tentai de tirer son corps vers moi pour qu'elle pose son genou en travers de mes jambes, son coude sur mon ventre et sa tête sur mon épaule: j'avais envie de la sentir encore plus près de moi. J'étais presque arrivé à mes fins lorsque, soudainement, elle s'éveilla. Mais ce n'était pas mon geste qui l'avait réveillée: elle avait entendu un bruit.

— Qu'est-ce que c'est? fit-elle en ouvrant les yeux.

— J'en sais rien, dis-je.

— Tu n'as pas entendu un drôle de bruit?

— Non, je dormais, dit le plus grand menteur du Vieux-Québec.

Elle se redressa, s'assit dans le lit et se pencha pour allumer une lampe. Séparé d'elle, je frissonnai tout à coup, et pourtant la nuit n'était pas vraiment froide; elle était fraîche, un peu humide.

— Tiens, j'entends encore quelque chose, dit-elle.

— Moi aussi, dis-je.

— On dirait que c'est la porte de la cuisine...

Elle se leva en vitesse, le tee-shirt retroussé sur ses jambes fines, et je la suivis après avoir enfilé le chandail. La porte-fenêtre de la cuisine, qui donnait sur la terrasse, était entrouverte et battait au vent. Miss s'avança pour la refermer, puis son regard se figea. En m'approchant, je vis un fantôme au milieu de la terrasse: c'était Jack, évidemment, mais il était enveloppé dans un drap de lit qui le couvrait tout entier, la tête comprise. Il avait les bras en croix et, avec le vent qui agitait le drap, on eût dit qu'il allait s'envoler.

— Tu crois que c'est une rechute? demandai-je.

— J'en sais rien, dit-elle, mais en tout cas, il risque de prendre froid.

— Je vais le chercher.

— Non, laisse-moi faire.

C'était la meilleure solution. Avec de la chance, il allait la prendre pour Gabrielle et lui obéir, à supposer qu'il avait de nouveau un problème de fusible. Pendant que je tenais la porte, elle descendit sur la terrasse. Elle se plaça entre lui et le garde-fou, en lui tournant le dos. Ce n'était pas le moment d'être romantique, mais je ne pouvais m'empêcher de trouver que la silhouette de ma petite sœur, découpée par la lumière un peu laiteuse de la pleine lune, avec le tee-shirt que le vent plaquait sur elle, avait quelque chose d'attirant et de très émouvant.

Presque tout de suite, elle se tourna vers lui. Elle s'approcha, lui toucha la main et, à la manière dont il se laissa guider, un léger sourire aux lèvres, en direction de la cuisine puis de la chambre, où la porte se referma derrière eux, je compris que la crise était passée et qu'il n'allait plus rien arriver de grave cette nuit-là.

Je dormis tout seul, le reste de la nuit.

Au matin, ce fut moi qui me levai de bonne heure pour aller ouvrir la librairie. Miss n'arriva que beaucoup plus tard. Je ne lui posai aucune question, ce n'est pas mon genre.

22

UN TAPIS DE LUMIÈRE

Miss et moi, nous étions un peu zouaves, un peu fêlés. Nous ne suivions pas les mêmes règles que tout le monde, et c'était pour nous un motif de fierté. Cela ne nous empêchait pas de veiller jour et nuit au bien-être de Jack; nous tâchions même de prévoir comment les choses allaient évoluer dans son cas. C'est avec cette idée en tête que je rendis visite au gérontologue de l'Hôtel-Dieu.

Le spécialiste me reçut sans me faire attendre. Les murs de son bureau étaient ornés de dessins d'enfants, mais je n'osai pas en demander la raison.

— Vous êtes un parent de monsieur Waterman? s'informa-t-il.

— Bien sûr, dis-je, convaincu depuis longtemps qu'on a le droit de mentir pour éviter les explications inutiles.

— On ne vous voit pas souvent...

— J'étais en France. Comment va-t-il?

Il tapota sur le clavier de son ordinateur. Comme il n'arrivait à rien, il s'impatienta et alla chercher un dossier dans un classeur métallique. Et tout à coup, il se mit à rire.

— Je me souviens, dit-il. Il avait reçu un coup sur la tête. Je lui ai proposé une IRM, mais il a dit que c'était inutile parce que le coup lui avait remis les idées en place. Il a déclaré qu'il se sentait mieux qu'avant!

— Et qu'est-ce que vous avez fait?

— J'ai insisté. Le plus drôle, c'est qu'il avait raison : l'IRM était meilleure que celles qu'il avait passées jusque-là! Plusieurs vaisseaux, apparemment, s'étaient débloqués...

— Comment expliquez-vous ça?

Il haussa les épaules. Avec ses lunettes rondes, d'un brun orangé, il ressemblait à un moyen duc, et ses yeux agrandis par des verres épais semblaient dire que la vie était une source inépuisable de surprises.

— Je ne peux pas l'expliquer.

— Pour l'avenir, à quoi faut-il s'attendre?

— J'en sais rien du tout. Comme vous voyez, je ne sais pas grand-chose.

— Savez-vous au moins s'il est vraiment atteint de... ce qu'il appelle la maladie d'Eisenhower?

Le dossier de Jack était maigre. Le spécialiste s'absorba un moment dans la lecture des rapports, puis il examina quelques clichés à la lueur de sa lampe de bureau.

— Est-ce qu'il a des trous de mémoire? demanda-t-il.

— Ça arrive, dis-je.

— Il perd le sens de l'orientation?

— Parfois il a l'air un peu perdu...

— Et il voit ou entend des choses que les autres ne perçoivent pas?

Ce fut à mon tour d'être perplexe : le spécialiste ne venait-il pas, cette fois, d'énoncer le rôle de l'écrivain? Par prudence, je me gardai de mentionner le fait que Jack apercevait quelquefois la silhouette de Gabrielle à la fenêtre du dernier étage quand il rentrait chez lui, les soirs de pleine lune.

L'entrevue ne se déroulait pas comme je l'avais souhaité. Aux questions que je lui posais, le gérontologue répondait le plus souvent par d'autres questions, et je compris au bout d'un quart d'heure qu'il n'était sûr de rien, qu'il attendait de voir comment les choses allaient tourner.

En quittant l'hôpital, je m'arrêtai au Richelieu pour acheter, au rayon des surgelés, un repas de saumon à l'oseille avec du riz. C'était une recette pour deux personnes, très facile à préparer sur le petit réchaud de la Parenthèse : on n'avait qu'à faire chauffer les sachets dans un bain-marie. Et si Jack avait le goût de se joindre à nous, on pouvait toujours ajouter une portion de riz.

À cinq heures trente, quand j'entrai à la librairie, Jack était là. J'étais content d'avoir un sac d'épicerie dans les mains : il voyait bien que j'avais fait des courses et, par conséquent, il ne pouvait pas se douter que j'arrivais de l'Hôtel-Dieu. Miss et lui étaient appuyés au comptoir, épaule contre épaule, et faisaient le bilan de la journée. Il avait l'air d'être son grand-père.

Jack préférait rentrer chez lui et manger seul parce qu'il avait «des choses à écrire». Miss alla le reconduire et, pendant que j'attendais son retour, je trouvai encore un livre sur le comptoir : *Le Vieil Homme et la mer*. En comptant le recueil de nouvelles que j'avais reçu à Paris, c'était le quatrième livre que Jack mettait sous mes yeux. Et comme je commençais à bien connaître les livres d'Hemingway, je n'eus pas de mal à comprendre que ce roman avait été choisi pour une raison précise : il possédait les mêmes qualités que les trois livres précédents, et de surcroît il avait un caractère universel, puisqu'il traitait de la recherche du bonheur.

Miss revint plus tard que prévu. Je lui jouai la comédie du traducteur plongé dans ses dictionnaires qui n'entend même pas le bruit de la porte d'entrée : je sursautai en l'apercevant tout à coup, et mon air faussement surpris la fit sourire.

— Excuse-moi d'arriver si tard, dit-elle.

— Tout va bien ? demandai-je.

— Mais oui.

— Gabrielle était là ?

— Non, pas cette fois. As-tu faim ?

— Je meurs de faim!

Dans la Parenthèse, je mis de l'eau à bouillir sur le réchaud, et le souper fut prêt en quelques minutes. Ce n'était ni bon ni mauvais: le saumon congelé s'était affadi et la sauce à l'oseille était trop riche, mais pour nous, la nourriture n'avait pas une grande importance, elle n'était qu'une occasion d'être ensemble. De toute façon, Charabia se chargeait toujours de vider nos assiettes.

Je racontai à Miss ma visite chez le spécialiste de l'Hôtel-Dieu. De son côté, elle me rapporta les derniers propos de Jack. Il lui avait dit, le matin même: «Ce n'est pas moi que tu vois, c'est mon père. Moi je suis caché à l'intérieur de cette image: tu ne peux pas me voir.» Ayant tout mis ensemble et tout bien pesé, nous arrivâmes à la conclusion que n'importe quoi pouvait arriver et qu'il valait mieux ne pas le laisser seul trop longtemps.

Elle proposa:

— Je peux dormir là-bas ce soir...

— Comme tu veux, dis-je, tout en cherchant désespérément le moyen de lui faire comprendre, sans le lui dire, que mon cœur allait être moins lourd si elle voulait bien ne pas s'en aller trop tôt. Elle me regarda et je n'eus pas besoin de parler.

— On se promène un peu? fit-elle.

— Je t'aime beaucoup, dis-je tout bas.

Elle ne répondit pas. Après avoir ouvert, pour Charabia, la fenêtre de la petite pièce, nous sortîmes dans la rue Saint-Jean. L'air était plus vif, les jours plus courts, les jupes plus longues, et comme toujours à l'automne, une lueur d'inquiétude brillait dans les yeux des vieillards et des chats.

Le Vieux-Québec n'est pas bien grand et presque tout le monde se connaît, mais personne ne pouvait voir que je tenais la main de ma petite sœur en marchant puisque je la gardais dans la poche de mon blouson; elle avait une main chaude et lisse, et il n'y avait pas de limite au plaisir si simple pourtant que je prenais à emmêler mes doigts aux siens.

Pour être sûr que Miss ne s'en aille pas directement chez Jack après la promenade, je l'entraînai dans la direction opposée à la rue des Remparts, c'est-à-dire vers l'ouest. Je lui fis traverser la place d'Youville et le morne boulevard Dufferin, et nous entrâmes dans le quartier Saint-Jean-Baptiste. Ce secteur manquait d'arbres et d'espaces verts, mais en compensation, pour nous reposer les yeux tandis que nous parcourions les rues étagées sur la pente menant à la basse-ville, nous pouvions admirer à chaque intersection l'immense tapis de lumière qui, à mesure que tombait la nuit, s'étendait depuis Limoilou jusqu'aux pieds des Laurentides.

Nous étions à l'angle de La Tourelle et Sainte-Marie. Je serrai plus fort la main de ma petite sœur.

— L'expression qui m'est venue, c'est *tapis de lumière,* dis-je en secouant la tête. Tu te rends compte?

— Tu veux dire, c'est un cliché?

— Oui, mais ce n'est pas ce qui me tracasse le plus.

— Qu'est-ce qui te tracasse?

C'était difficile à expliquer, et je n'étais pas certain moi-même qu'il y eût du vrai dans ce que je voulais dire.

— Voilà, dis-je. Chaque fois que je vois une chose qui sort de l'ordinaire, depuis quelque temps, je passe des heures à chercher les mots qui la décriraient avec la plus grande précision. J'ai bien peur d'appartenir à cette race de fous qui aime davantage les mots que les choses.

— Comme Jack?

— Oui.

Nous rentrâmes en suivant le bord de la falaise pour ne rien perdre du spectacle. Miss avait plus d'imagination que moi, les lumières dans la nuit lui faisaient penser à des étoiles de cinéma, portant smoking, robe du soir et rivières de diamants, qui assistaient dans l'ombre à une cérémonie de remise des Oscars.

La côte d'Abraham nous reconduisit à la rue Saint-Jean et à la librairie. Miss accepta de s'arrêter pour boire un chocolat chaud. Le jeune Charabia n'était pas rentré, mais étant donné l'odeur qui flottait dans la Parenthèse et le fait que le bol de croquettes était vide, on devinait que certains de ses amis étaient passés par là.

J'apportai les tasses fumantes sur le comptoir de la librairie. Il était un peu plus de dix heures. Pour ne pas attirer l'attention, nous n'avions allumé que la veilleuse de la Parenthèse et nous restions dans la pénombre. Je mis un petit morceau de bouleau dans le poêle, juste assez pour une flambée : c'était un truc pour garder Miss plus longtemps, car elle aimait entendre le crépitement du feu.

— Tu te souviens ? fit-elle.

— Quoi ?

— Le vieux foyer en pierres des champs...

— Ah oui, je m'en souviens très bien.

Elle but du chocolat à petites gorgées et passa son bras autour de mes épaules. Nous avions un souvenir en commun, dont il ne restait à présent que deux ou trois images tombées comme des feuilles d'automne au fond de notre âme. Cela s'était passé dans un chalet que mon père avait construit au bord de la rivière. Même si nous étions petits, si petits que nous n'allions pas encore à l'école du village, nous l'avions aidé à ramasser des pierres, le long des routes, pour construire un foyer dans le chalet. Et un après-midi, confinés à l'intérieur par une froide pluie de novembre, nous nous étions mis sous les couvertures devant la cheminée, Miss et moi. C'est ainsi que nous avions découvert, avec une innocence totale et un grand fou rire, que nous n'étions pas tout à fait pareils – et il nous en était resté un souvenir émerveillé qui nous unissait depuis ce temps.

— Bois pendant que c'est chaud, dit-elle.

Je bus une gorgée, puis je glissai ma main sous son sweat-shirt, où il y avait beaucoup de place vu qu'elle ne portait rien dessous. Sa tête s'inclina peu à peu et se posa sur mon épaule, et au crépitement du feu se mêla bientôt une sorte de ronronnement. Au bout d'un moment qui me parut très court, elle releva la tête, regarda l'heure à sa montre. Alors elle approcha son visage du mien et souffla sur mes yeux pour que je les ferme, et puis très délicatement, avec la pointe de sa langue, elle dessina le contour de mes lèvres. C'était la première fois qu'elle agissait ainsi, j'étais comme paralysé et je me laissais faire, le cœur battant.

Elle emporta quelques affaires dans un sac à dos et je lui fis un signe de la main par la fenêtre de la vitrine. Elle ne cessait de m'étonner : son rejet des normes et des idées reçues était plus fort que le mien. Pour ma part, je passais mon temps à imaginer des étreintes, des caresses audacieuses, mais c'était en son absence. Quand elle était là, j'étais intimidé et je me contentais de lui murmurer des choses, de lui effleurer la joue ou le dos, et parfois, la nuit, de me coller contre elle en faisant semblant de dormir.

23

L'ÉCRIVAIN

Une nuit, le téléphone sonna et il me fallut quelques instants pour me rendre compte que ce n'était pas dans mon rêve. C'était le téléphone de la librairie. Je me levai tout inquiet et, glissant mes pieds dans mes pantoufles, je me précipitai vers le bureau de la grande salle.

— Allô?

— C'est Mistassini!

— Salut, p'tite sœur! Qu'est-ce qui se passe?

Je tournai la tête pour regarder la boutique d'artisanat indien située en biais, de l'autre côté de la rue : la grosse horloge lumineuse, sur le mur du fond, indiquait trois heures du matin.

— Jack fait une rechute et j'ai tout essayé...

— C'est grave?

— Il parle de la *petite poussée*...

— J'arrive!

Sous le regard étonné de Charabia, qui ne comprenait rien à mon attitude et refusa de quitter le lit même quand je lui servis un reste de poulet, j'enfilai mes vêtements de la veille. Par-dessus mon tee-shirt, je mis le chandail en laine noire que Miss m'avait tricoté et je sortis de la librairie à toute vitesse. Je courus tout le long du trajet, m'arrêtant à peine une demi-minute au coin de Sainte-Famille et de l'Université pour uriner dans un trou d'égout; l'air n'était pas trop froid, c'était peut-être l'été des Indiens.

En grimpant l'escalier de l'appartement, rue des Remparts, je m'attendais à des cris ou des éclats de voix, mais il n'y avait aucun bruit. Et à l'intérieur, l'obscurité était presque totale : je ne vis qu'une faible lumière provenant de la chambre.

Je visitai d'abord les autres pièces, sur la pointe des pieds, redoutant je ne sais quelle découverte macabre. Tout était normal dans le séjour, dans la cuisine, et il n'y avait pas de fantômes sur la petite terrasse. Un peu rassuré, je traversai la bibliothèque et, avant d'entrer dans la chambre, je me mis à faire du bruit pour annoncer ma présence ; je toussai plusieurs fois et donnai un coup de pied à une chaise en jurant comme si je venais de trébucher. Ensuite, la porte étant entrouverte, j'entrai sans frapper.

Ils étaient tous les deux dans le grand lit. Le vieux Jack, allongé sur le dos, tenait Miss dans ses bras ; elle était couchée sur le côté, la tête posée sur son épaule. Mais il ne la tenait pas comme on le fait d'habitude : il s'accrochait à elle comme s'il avait peur. Et il était pâle, il avait les yeux exorbités. Le Beretta se trouvait sur la table de chevet.

La vue du pistolet me cloua sur place. J'étais incapable de réagir et cette impuissance m'irritait : une vraie crapule ne se serait pas laissé impressionner par ce genre de choses. Il me fallut un bon moment pour me ressaisir.

— Qui veut du café ? demandai-je d'une petite voix.

Personne ne répondit. Ma voix devait être encore plus faible que je croyais. Puis j'entendis :

— Moi !

C'était Miss. Elle avait très bien imité ma voix tremblante, et Jack lui-même, en dépit de sa détresse, ne put s'empêcher de sourire et desserra les bras. Elle aurait pu se dégager, quitter le lit, mais elle ne bougea pas : elle était parfaite.

À la cuisine, j'allumai le feu sous la bouilloire et tentai de réfléchir. Le moment que je redoutais depuis le début était arrivé et je me rendais compte que, loin de me préparer à cet événement, j'avais tout fait, à Paris et à Québec, pour l'oublier; j'avais même entretenu l'espoir que Jack abandonne son projet. Maintenant, l'heure était venue: il allait me parler de la fameuse *petite poussée*. Je n'avais pas eu le courage de refuser, au début, quand il m'avait demandé mon aide, et à présent, il fallait que j'envisage les conséquences de ma lâcheté.

Pendant que l'eau chauffait, je me creusais la tête, je cherchais une idée, mais il ne venait rien. Regardant autour de moi, je remarquai un détail auquel je n'avais pas fait attention en entrant: sur la table et sur le frigo, il y avait des notes écrites par Miss qui rappelaient à Jack un certain nombre de choses qu'il avait tendance à oublier, comme les numéros de téléphone de ses amis, ou bien l'endroit où il mettait les clés de l'appartement. Et en ouvrant l'armoire pour prendre la boîte de café, j'aperçus une autre note, écrite celle-là par Jack, et qui rapportait les propos suivants d'Épictète:

> La fête a une fin. Sors, retire-toi, reconnaissant et discret. Laisse la place à d'autres. Il faut aussi que d'autres naissent, comme toi aussi tu es né, et qu'une fois nés, ils aient de la place, des maisons et le nécessaire. Si les premiers ne se retirent pas, que reste-t-il aux autres? Pourquoi es-tu insatiable, impossible à satisfaire? Pourquoi encombres-tu le monde?

— Le café est prêt! annonçai-je en tâchant de raffermir ma voix.

Je ne m'attendais pas à une réponse, et pourtant ils arrivèrent, se tenant par la main; Miss tirait sur celle de Jack, mais ça ne se voyait presque pas. Ils s'assirent à table, commencèrent à boire, et je notai que le visage de Jack avait changé: après les crises, son air terrorisé cédait toujours la place à une expression mélancolique.

Il regarda l'horloge de la cuisinière.

— Il est très tard, dit-il, se tournant vers moi. Désolé, c'est le moment dont on avait parlé.

Je baissai la tête sans dire un mot, attentif seulement à ne pas donner l'impression que j'approuvais son projet. Prenant ma tasse de café à deux mains, je bus plusieurs gorgées de suite. Au lieu de l'idée originale qui, je l'espérais encore, allait me sortir de l'impasse, il ne me venait que des fragments d'images : ma sœur quittant la maison, mon père abattant d'un coup de fusil le vieux chien malade, ma mère apprenant qu'elle avait un cancer...

Jack m'observait.

— Tu veux une explication? demanda-t-il d'une voix lasse.

— Non, non. Je ne veux rien du tout, dis-je.

— Je vais quand même essayer.

Il but sa tasse d'un trait puis la considéra avec étonnement, comme si quelqu'un d'autre l'avait vidée. Miss se leva et lui remplit sa tasse. C'était du vrai café, un savant mélange de java et de moka, et il était très bon.

— Voilà, dit-il. Il y a des choses difficiles à supporter, des choses que je n'aime pas du tout. Je n'aime pas ma peau qui plisse, mes jambes qui flageolent, mon dos qui raidit, mes dents qui jaunissent, mon haleine qui pue, mon sexe qui mollit, mes cheveux qui tombent, mon nez qui coule, ma mémoire qui flanche, mon cœur qui tremblote et cette peur de l'inconnu qui m'envahit...

Il s'interrompit. La figure de Miss, et sans doute aussi la mienne, s'allongeait en même temps que sa liste de doléances. Il reconnut qu'il avait un peu exagéré, puis ajouta :

— Tout ça, au fond, je pourrais l'accepter pendant un certain temps si j'étais en train d'écrire quelque chose; je veux dire, quelque chose d'important et d'original. Il me vient toutes sortes d'idées, mais elles me plaisent pas : elles ont un air de déjà vu. Si ça continue, je vais devenir un vieil écrivain. La maladie d'Eisenhower m'empêche d'avoir des idées nouvelles.

— C'est quoi, un vieil écrivain? demandai-je naïvement.

— Un écrivain qui regarde seulement derrière lui.

— On ne peut pas t'aider? demanda Miss.

Je vis un demi-sourire sur le visage de Jack. Il commençait à se détendre.

— C'est gentil, dit-il, mais il faudrait d'abord que je rajeunisse! Évidemment, si quelqu'un prenait ma place...

Il me regardait par en dessous. J'étais sur mes gardes. Sur un ton presque enjoué, il enchaîna:

— Quelqu'un de plus jeune... Quelqu'un qui aurait appris le métier en faisant de la traduction et qui, par conséquent, aurait une écriture sobre et non pas cette tendance au lyrisme que je déteste... Quelqu'un qui aurait un peu voyagé pour se mettre du plomb dans la tête...

— Je sais que vous pensez à moi, dis-je. D'ailleurs, j'ai vu les livres que vous avez mis sur mon chemin... C'était comme les pierres blanches du Petit Poucet, non?

Il détourna les yeux, l'air embarrassé.

— Pour ce qui est des voyages, ajoutai-je, il faut que j'avoue une chose... En France, l'été dernier, je n'ai presque pas bougé; je ne suis sorti de Paris que deux ou trois fois, pour aller voir des courses d'autos: les 24 Heures du Mans, le Grand Prix de France...

— Je n'ai rien contre les courses d'autos! dit-il.

— Attendez... jamais je ne serai capable d'écrire!

Là-dessus, je me lançai dans l'énumération des faiblesses dont la nature m'avait affligé.

— Ne t'inquiète pas, dit-il. C'est avec ses faiblesses qu'on écrit le mieux.

J'insistai sur la versatilité de mon caractère, l'indigence de mon imagination et je rajoutai tout ce qui me passait par la tête. Bien entendu, c'était la petite crapule qui parlait. Je n'avais pas mis de temps à comprendre que la proposition de Jack était la seule façon d'éviter la fin tragique vers laquelle nous étions emportés à pleine vitesse. C'était une chance qu'il ne fallait pas rater, mais je ne pouvais pas décemment le reconnaître du premier coup. Alors je faisais semblant d'hésiter, de peser le pour et le contre.

— Qui va s'occuper de la librairie? demandai-je.

— Moi, dit Mistassini. J'ai déjà quelques idées pour que les gens se sentent tout à fait comme chez eux.

— Et pour écrire, où est-ce que je vais m'installer?

— Tu viendras ici, dit Jack. Les jours de beau temps, tu te mettras sur la petite terrasse, en face du fleuve : la vue n'a pas de limites et, quand on est débutant, c'est bon pour l'inspiration. Et puis je t'apprendrai les trucs utilisés par Hemingway. Je te montrerai comment, si on veut mettre une histoire en marche, il suffit d'écrire la phrase la plus vraie que l'on connaisse; comment on doit s'efforcer d'écrire uniquement sur les choses que l'on connaît le mieux; comment il faut laisser une phrase en suspens quand on termine sa journée, pour avoir un élan, le lendemain, au moment de se remettre au travail...

Il se tut brusquement et fit signe, en écartant les deux mains, qu'il avait encore des choses à dire mais qu'il était fatigué. Je lus un peu d'inquiétude dans les yeux de Miss.

— D'accord, je veux bien essayer, dis-je.

— Peut-être que tu aimerais mieux prendre quelques jours pour réfléchir?

— Non, c'est décidé.

Je me montrais aussi ferme que possible. Dans mon esprit, toutefois, il ne s'agissait pas d'un véritable engagement. J'avais l'intention de faire une honnête tentative, sur plusieurs mois, en espérant que tout se passe bien. Et si l'expérience tournait mal, j'allais me remettre à la traduction sans en faire un drame. Peut-être même que, dans l'intervalle, le vieux Jack aurait retrouvé sa capacité d'écrire des choses nouvelles, un genre de deuxième souffle.

— Gabrielle t'aidera elle aussi, dit Jack.

— Bien sûr, dis-je.

Je jetai un coup d'œil vers Miss. De la tête, elle me fit signe de regarder la pendule de la cuisinière, puis m'adressa un sourire très doux. Cela voulait dire que la question de la *petite poussée* était résolue pour l'instant, que Jack était fatigué et risquait d'avoir un problème de fusible, qu'elle allait lui donner ses pilules et l'aider à s'endormir et que je pouvais retourner tout de suite à la librairie.

En rentrant, je fis un détour pour me remettre les idées en place. Comme le fond de l'air était frais, en plus de mon chandail noir, Miss m'avait prêté le blouson de Jack. Je descendis la côte de la Canoterie et marchai quelque temps sur les quais du bassin Louise. Derrière les anciens silos à grains, par-delà l'île d'Orléans et la rive sud du fleuve, une lueur pâle grandissait à l'horizon, éteignant une à une les étoiles.

Il n'y avait personne et je n'entendais rien, pas même les goélands. C'était la minute de silence qui précède l'aurore. Avec cette journée, une nouvelle vie commençait pour moi et j'étais étonné de ne pas me sentir différent.

Une fois revenu à la librairie, je me rendis compte que je me trompais. Allongé avec Charabia sur le lit du bas, j'attendais le retour de Miss tandis que le jour se levait; j'étais impatient, je sentais le venin de la jalousie s'insinuer dans mes veines, quand tout à coup l'idée me vint que, désormais, je ne serais plus vraiment malheureux, car il me serait toujours possible de mettre mes chagrins dans une histoire et de les attribuer à un personnage.

Cette pensée me réconforta et je m'endormis.

TABLE

OUVRAGE RÉALISÉ
PAR LUC JACQUES, TYPOGRAPHE
ACHEVÉ D'IMPRIMER
EN OCTOBRE 2002
SUR LES PRESSES
DE L'IMPRIMERIE GAGNÉ
LOUISEVILLE (QUÉBEC)
POUR LE COMPTE DE
LEMÉAC ÉDITEUR
MONTRÉAL

N° D'ÉDITEUR: 4851
DÉPÔT LÉGAL
1re ÉDITION : OCTOBRE 2002
(ÉD. 01 / IMP. 01)